COLLECTION «ENTHOUSIASME»

Action Writing
d'André Roy
est le dixième titre de cette collection

DU MÊME AUTEUR

chez le même éditeur

Les Passions du samedi (Le cycle des Passions 1), 1979
Petit Supplément aux passions (Le cycle des Passions 2), 1980
Monsieur Désir (Le cycle des Passions 3), 1981
Les Lits de l'Amérique (Le cycle des Passions 4), 1983
Nuits, 1984
Les Sept Jours de la jouissance, 1984
C'est encore le solitaire qui parle, 1986
Le Spectacle de l'homme encore visible (Nuits 2), 1988
Les amoureux n'existent que sur la Terre
(L'accélérateur d'intensité 2), 1989
On sait que cela a été écrit avant et après la grande maladie
(L'accélérateur d'intensité 3), 1992
La Vie parallèle, essai, 1994
De la nature des mondes animés et de ceux qui y habitent
(Nuits 3), 1994
Le cœur est un objet noir caché en nous
(L'accélérateur d'intensité 4), 1995
Vies, 1998
Voyage au pays du cinéma, essai (La Vie parallèle 2), 1999
Nous sommes tous encore vivants (Nuits 4), 2002

chez d'autres éditeurs

Formes. Choix de poèmes, L'Atelier de l'agneau, Belgique, 1977
Marguerite Duras à Montréal, textes réunis et présentés par Suzanne Lamy
et André Roy, Éditions Spirale et Éditions Solin, France, 1981
La Leçon des ténèbres, Ecbolade, France, 1983
L'Accélérateur d'intensité suivi de *On ne sait pas si c'est écrit avant
ou après la grande conflagration*, Écrits des Forges et Le Castor Astral,
France, 1987; coll. Typo, 1990
Cent films à voir en vidéo, Éditions Logiques, 1997
Dictionnaire du film, Éditions Logiques, 1999

ANDRÉ ROY

Action Writing

poésie et prose
1973-1985

LES HERBES ROUGES

Nous remercions le Conseil des arts du Canada
de l'aide accordée à notre programme de publication.

Les Herbes rouges bénéficie du soutien du ministère
du Patrimoine canadien et de la Société de développement
des entreprises culturelles du Québec pour son programme d'édition.

1

ACTION WRITING
1973-1978

N'IMPORTE QU'ELLE PAGE

à François et Marcel Hébert
à Gaston Miron
à Claude Robitaille
à Patrick Straram le Bison ravi

qui lui colle à la joue comme le cinéma
s'écaille dans le maïs soufflé
songe parallèle et elle
y glissent les aplats d'eau
et délie le maquillage
un peu en image de ça

*

rejette à volonté ses bouches
bascule et éteinte sur le pouls
d'un bruit l'éclat ferme le trait
partant incomprise
entre vous ménage ses masques

*

à la cavalière sa botanique mise
– un espace d'watts –
pour un peu appliquée longue
trop vers quoi se mue
les poils dans la pose d'un ballet
et volatile par son théâtre même

*

délire derrière la buée
elle pince dans la bouche une plainte
prise qui aux filets comme au nylon inaudible
pliée qui en quatre
se déteint en une seule syllabe

*

où pour fondre dans les décors
circule et huilée en ses cordes
fertile ni glissement terrien
surcroît à cette danse
(pointe   cycle méga)
arabesques intérieures en si peu de jambes

*

c'est de craie qu'elle crie
lit comme une image
diffuse sans doublure salée
(friable parce que liquide)
et récite toutes ses cicatrices à l'endroit

*

se répète entre le papier
(5 chiffres très collés à la gorge)
ne lèche d'où le rose
redite à la moindre étoffe
et aux dépens de ses plis
le gant se fane dans la voix

*

abandonne bibelot
d'ailleurs elle page
pour si peu de quartz ou de suc
sans balance ni miroir
métronome juste les points de sa grâce

*

conductrice des fables
se pare d'images cerclées sous vide
elle dit puis des lèvres
migration entre les feux
des illusions s'imprègne sereine
et éclate sans ouvrir

*

penchée dans le bleu tonal
(l'ouïe rougit fréquemment)
déroute mais s'échappe
longtemps tombante
elle écarte les vocables sous la roue

*

respire contre les tentures de phosphore
calme sinon cachée
que fumante à pleines mains
se décompose extrême elle s'éparpille
la peinture très abîmée de lèvres
et l'espace de voir

*

avance tout
ce qu'outremer lit
vibratile par les sables
elle faille toujours
roulée de papyrus

*

polychrome jusque-là éloquente
délace et parenthèses
ses hallucinations sans couture
sitôt nue et elle empreinte
traquée dans les desseins sans fil
(plusieurs yeux déshabillés)

*

sauf de par la chambre
elle regorge des murs aux mains
aère dit donc
cloisonnée en ses veines
moins que peinte

*

vorace autant des yeux
comme une seringue ou pieuvre
autant liquide que jet
le regard des aiguilles
et l'heur de plaire malgré elle
à tout le moins à l'envers

*

des os pour ainsi dire
ralentie et sommeille
en travers des draps de moelle
est-elle comme impatiente
charpentée par là bielleuse de tous ses pores

*

buvant assise dans le regard
coulante intense
– des trous comme des larmes –
ses continents mêmes en aquariums
si bien de sel et miraculeuse
mais recroquevillée dans la salive tue

*

molle autant lucide
tentative carnivore et l'envahie
ni de fer se plie ni ne se voit
dans la jungle chatte
verdit dans le silence humide

*

gonfle où verte
glisse n'en est que renversée
dans le sens du coquillage
précieuse depuis évidente
elle agite ses gorges
sans habitudes mais répandue

*

en arc en équilibre
lance opaque jusqu'au rasoir
ses cercles raccourcis d'haleine
très clouée en ses lunes
tordue pour si peu de miroirs aux poumons

*

tinte quatre fois flou
du souffle comme elle claque
quatre fois précipité dans le buvard
nomade d'elle n'importe

*

à la tranche
s'étend (velours au ventre   )
ses halos dressés
qui partout fondent
les passe par ses os sans collier

*

c'est de pleurs qu'elle ploie
mais sans doute un éventail
déploie un sourire à la poitrine
sans ennui (comme le vent   )

*

mire-t-elle sans aire
ni de plomb boit la lumière
d'un phare si la ligne entre autres lisse
contemple l'étain s'y déteint
fluide gravure est contournée

*

écumante de plein droit
ventre en passe de rouler
vrille-t-elle luxuriante
très vite sécrète des cristaux dans ses branches

*

auréolée en un moindre bleu
en couches en crème
de boire comme un nuage
– bien ronde de –
plane plusieurs fois dans le verre

*

pousse sa plage d'ananas
rutilante rotatrice
l'écho vacille et pointe le grain
tiré d'elle ouvre fameux

*

approche dépouille
l'iode ému jusqu'aux ongles
violette c'est du membre beau
et encore tenir dur
change de blessure chaque fois

novembre 1972-
février 1973

L'ESPACE DE VOIR

dans le nœud sanglant de l'espace
PHILIPPE SOLLERS

REPRÉSENTATIONS UN

LES CORPS DÉPLOYÉS

images viennent c'est fermé
toujours les tait comme une profanation
la fuite s'écaille par instants
, ni de travers ni trompé,
traverse les corps déployés
affectif brutalement

GRAIN PAR GRAIN

façon(s) de renverser
jour et contre l'étroit des couleurs
par plaques impatientes, démence
à la vitre mais qu'aux heures
détache les charmes
grain par grain

LES ODEURS

reste différente (comme sourde à)
– le fusain par désir charbon et super –
la perspective hors les odeurs
(ce plat et des fruits tout nus)
bien repus de couleurs
manger tendrement car la faim se coagule à l'œil

DORMIR LES YEUX

levant le rythme à l'haleine
peu dire quelque chose de l'huile (papier)
dégage sans paysage les calques
miroir autant entrer
car à la surface dormir les yeux

L'ŒIL S'ÉRAFLE

en autant que plein se fasse
ce qu'on attire ouvre par griffes
aiguilles anonymes et mutisme (du cercle?)
jusques ultime et trous mous
l'œil s'érafle comme un œuf sur l'eau

LES CILS

contraint de traverser
rapide comme fermé d'entre les cils
ce trait et s'érige
rondement figé dans la chaux
de plus près regarder dilue doucement

DE LA PUPILLE

opiniâtre ne résiste
par moments ses pourpres, ses sables
dirige le feu selon les flaques
à quand mourir les excès
et les déluges agrandis de la pupille

LA RÉTINE FERME LA BOUCHE

inerte à point nommé
paysage surpris par le sommeil
renversé, à double fond
surprise par la surface du rythme
la rétine ferme la bouche très rapide

À LA BOUCHE DU

déverser et effervescence calme
à cause glisse à la bouche du tableau
un peu plus de poudre crue
tourne très au creux (blanc)
se photographie dynamite et béant

DES VOIX...

jusqu'aux creux des voix   du bois
que seulement bribes
comme horizontale très profonde
– respiration rose,
nul répit à la pupille (jus bruyant?)
miroir un peu las de son fruit chasse à l'envers

SUR LA LÈVRE

par les yeux impossibles sur la lèvre
, caméléons leur musique dissolue
est spores et et articulations
toile réversible à qui papillote
avale ses plus qu'harmonies (: lignes molles)

COMME LA BAVE

si d'un brun très blanc
fond comme la bave (arrêtée)
il n'y a là pourtant, ombres sèches
pour que ne tourne le regard en café
au fond : impénétrable dans la goutte

ENTRE LES DENTS

à retenir les distances entre les dents
tient en spectacle
(haleine vulnérable au moindre portrait des lèvres)
disparaît dans le souffle de la scène
car trop de paysages la bouche pleine
– voici la fresque dans une goutte de sang

AUTOUR DES ÉPAULES

premier me répète au liquide
m'arrache chimique sinon légèrement
ces traces de sel   la fumée
les encres rêvent encore aveugles
c'est autour des épaules...

TORSES

posé par surcroît
de la présence et rugosité indécente
happé par une fenêtre ('quelque sorte)
projette ses torses en toute nudité
et distraire peu à peu comme un rectangle
(voyeur)

AU NOMBRIL

par teintes où tout monte
crue   cri jusqu'au nombril
déroule et mobile d'une encre à l'autre
circuler, ombre sans intrigue(s)
claque et fond entre les doigts comme un négatif

À CHAQUE JAMBE

se déclenche à chaque jambe
et s'encombre de figures
c'est à peine tranquille si huileux
comme debout se ranime
boucle ses apparitions plein les sauts

ET LES GENOUX ROULENT

moindrement chute
et les genoux roulent dans la forêt
, même pâte, peinte
de quoi en retourner (plate dit-il)
surface crème et ses verts déplacés
tourne mais pour en perdre ses horizons lisses

REPRÉSENTATIONS DEUX

LES OBJETS INFINIS DU CORPS

les objets infinis du corps
de trop il bouge
se prononce par surplus et regarder ouvert
coulisses aériennes sous effets de
parlent ses réseaux, œil sexe
surtout les surfaces grésillent comme confiture

DE LA PEAU

aplats plus que mouvements?
et crème multipliée de la peau
empreintes, les étreintes directement mouillées
mouler ici (histoire de la gomme)
c'est visible et séquences de l'amour
le lit déroule les gestes palpables comme spatules

UN BRUIT DE DERME

corps, de la peau
leur écho inattendu dans la scène
en position d'expression feinte
brandir ses vibrations, craque la peinture
– un bruit de derme laisse tomber un peu de miroir –
(bouches sous le champ trop collées)

LES ÉPIDERMES

quels que soient les angles
vitrine où pénètrent les tapages du sang
– par un côté obstinément les veines –
et dans le roux vernis des liens et par...
l'espace salé que précisent les épidermes
dans le plus cérémonie possible

DANS SES PORES

continue de gonfler
remuer un fond de lumière
ni lu, détaché du doigt
– le sexe dans un grand geste de départ –
y dresser le sable (coule)
parce que le biseau dans ses pores le soulève

LES RONDELLES DE SUEUR

cependant chair criblée
à son tour parcourue
ne gicle partout ne découvre
: les épisodes du travail muet
et les rondelles de sueur
à chaque tour les frissons poussent comme un vernis

LE MOUVEMENT RENVERSÉ DES SUEURS

presque même et voir
entend les formes jusques retranchées
les fibres du travail, l'air admiré
appelle un paysage autre partout
voit le mouvement renversé des sueurs crié en toutes lettres

L'ŒIL TROP BU

sexe troublé, l'œil trop bu
s'arrache de bête s'y dérive
– d'autres liquides nacrent sous nappe –
ralenti, à deux pliés
enfoncer dur parmi la cendre sous la pupille
(figé presque mouillé)

SUR LA LANGUE

caresse tendu obscurément
élastique, minéral que s'achève!
de s'empourpre et encore à (dé)goûter
se prolonge plein comme un miroir (pinceau)
: le sperme adhérent serpent sur la langue

PRISE AU COU

en forme tout ouvert
telle eau calme et prise au cou
élance ou crache bien
, fraîche d'où pulsations
double trace dans cette chute
quitte les lieux comme un noyé fuit de toutes parts

UN AUTRE VENTRE

d'invisibles disparitions et suintant
une jambe liquide puis un autre ventre
à tout le moins dévalement
accroche quelque part ses poils
entre équilibre et aqueux
il peut des hanches considérablement

SES ORGANES

que n'établir ses interdits
pousse ample ses organes
, alarmer non les moindres,
c'est aller plus loin et ameute
ses images menaçant le modèle de jouir dans l'encre
(comme un poisson dur)

AUCUN CHOIX DE SEXE

doublement spectacle :
aucun choix de sexe ni question de peau
transpire, succession du regard
révèle au fil de la sueur
plus que courbe, continue glisse
l'œil court aussi loin que le plaisir public

MES LIQUIDES

mais craintif au couteau des couleurs
laisse le goût dans la buée
, à redouter de chaleur,
et couche mes liquides par tiges
– un plaisir pyrotechnique? –
simule un coït comme on ouvre une orange

CUISSES,

à l'épreuve jusqu'au fond des dessins
ce plaisir de la pâte muette
mais dru (pornographie)
le sexe coupé d'entre les lignes
, cuisses, fluide et moteur de fiction :
l'imagine violet par goût au moins

QUE DES GENOUX

ne peindre ferme, orgies
mais suinter : pâte voire lave
– peau sans heurts
de doux comme une photographie –
là imaginer, imagine
du bout des yeux autant que des genoux

EN IMAGE DE ÇA

depuis l'œil fermé
l'écran nous déplace
HUGUETTE GAULIN

de ce que danse la
figuration cinématographique
MARCELLIN PLEYNET

BEAUX D'OMBRES

PRIMO TEMPO

unique immobile traces de quelques faits
(ce bateau sue, par le train arrivant)
reste commune à la photographie un peu lasse
reprise : une affaire vague d'yeux répétitifs
pour l'absente mouillant les rails qu'elle dorme

*

moins probable le déchiffrement déshabille
(une femme regarde, simplement une plaine)
vision effarouchée de très près la même chose
se relève atteinte par la langue dans l'œil
– coller au vent force à retourner l'événement –
confuse pour les horizons fondus sous ses jupes

*

sans anticipation et approximatif :
le début en larmes
une histoire parmi le vent à jupons le port de mer
– l'intimité de l'actrice et son rôle soufflé –
recompose un drame corporel comme son humour
l'époque de la projection :
le mélodrame coule bien en deux couleurs

*

mieux encore des fictions photos
à dire ce que les yeux raptent
répète a su de ses espaces inspirés
ce corps que l'anecdote répand
elle intrigue par le dialogue de ses fesses

*

suspense
dans spectacle agité
versant le café dans le sens de l'action
(une nappe à carreaux, temporairement psychologique)
en défaut par méprise et enquête
le personnage survit aux scènes manifestes
flanqué de détails inébranlables

*

imper-import quand le personnage
la prise de vue comme échange – (un fusil)
puis le tir dans la grosseur de la nuit
pris par alibi escroc et dévalise
et pèse ce plan policier

*

détail par contre :
personnage et son moteur distrait
qui roule mimant un théâtre entreprenant
ou de technique fréquente pourtant de faille
constat : refus du membre flou mais
le dessin de son articulation arrange mais perplexe

*

les moyens du genre d'éclairage sans détour
rassemble ses images chancelant sans égards
trafique morceau par pièce ses pas
– sortie droite des commodités du décor –
en passe et devenir l'ombre de son teint :
le jeu de l'acteur de bois préfabriqué

*

inspiration si vous voulez imagine
nourrie de réalités travaille comme de la dynamite
impénétrable jusqu'au plaisir
la cire des contes populaires leurs sueurs
tendue et sa couche accidentelle
explosent ses dons comme la truculence du fric :
sex-exploitation

*

acteur de son temps la topologie charnue
et la figuration des lèvres
cette possibilité d'événements animés et sa poésie
par grands morceaux ponctue et cumule
et l'archéologie de ses espaces charnels
additionne la biographie de sa peau

*

élabore l'énergie les lieux d'action
les répétitions de personnages que le jeu lubrifie
les personnages friables sous le drame
à quoi tient l'haute voix s'accorde au vent
– c'est l'aspect le plus pervers de l'éventail –
derrière l'appareil un peu cru

SECONDO TEMPO

le moyen de leurs échanges s'enclenche
mécanismes dans le rond du cadre
l'appareil les caresse pour un clavier
(le spectre aux sept pas, je vous les arrondis comme un piano)
aussitôt solidaires et leurs ébauches
dans la danse cette surface s'ébranle de tous ses bords
– couple change

*

au fond même projection
la réaction unanime à l'objet :
(ses bateaux imposent, image renversée de la coque)
étourdi par les paysages de l'époque et
et en danger de surprises
confondu l'espace se relance et flotte

*

un curieux déplacement un hors-champ superflu
s'opèrent (la femme fatale, travestit)
travail d'événements l'histoire du costume
c'est un dictionnaire et le minutieux naturel
un décor plus extérieur que la toile fonctionne

*

peu important ce qui remuait :
le besoin narratif à quatre sous
son articulation faciale
par exemple (montant à cheval, pourvu de freins)
les péripéties à qui fait bruit
et campe ce visage au galop

*

c'est remettre la magie dissimulée
une mise au point tactique
et du temps ferme : (une œuvre éclairée,
du dedans) reprendre d'aise ces images muées
au point d'étouffer sur la toile volatiles

*

se répondent dans la lecture du café
(deux, ou trois choses) c'est un exemple
en venir aux mains par politique surexcitée
– un plan du visage atteint et off –
vaquent au contexte mais relatifs au drame
simplement on les coupe de votre vraisemblance

*

d'un muet très liquide
– c'est sur quelques écrans étonnants –
bien repérer l'emploi de l'ombre son enthousiasme
à combler chaque étreinte se taire glissant
et se répand le dialogue gourmand des «amoureux transis»

*

pertinent disons motif musical
– l'événement pousse à être étale –
disons cycle d'amour et glandulaire
larmoie les sueurs tombent comme des codes
une section de débauche à chaque pas du film
comme si on ouvrait des larmes sous le raccord

*

si on coupe car déchire la blouse silencieuse
plus geste débordant sur le rond
(il interprétait en oiseaux, mes quatre seins
pour une surimpression) mouille et dérape sous la pupille
entre – le creux – le fonctionnement de la censure :
ciseaux exquis

*

comme l'injection la circulation des épidermes
intense trucage mais désincarné
la manière de se dévêtir vous reluque
(grandeur nature, toutes sortes de sangs)
disparaît sous la caméra carmin comme la peau
jamais mirage suspendu à tant d'yeux à moteur :
une profusion inouïe de divans efficaces

*

dans le contexte évidemment assis
l'organe (recevez, les stimuli) mouvant
passe par les multiples objectifs
jus et bruit sassant droits sur l'écran
compter ces jets circulant
et change de siège

*

pénètre ce qui ressort du film
la seule folie du sein
cette passion à unique circuit
la mise en scène trace ce qui saisit cet épisode
dénonce des goûts fréquents
(pour une représentation, poussent deux fois les yeux,
et le sexe)

*

l'effet de vision est opération
de préférence au parcours bien embrayé
(compter sur ce mur, la forêt arrêtée)
ce spectateur rappelé d'alentour
de préférence précipité au bord de l'ombre
divise les objets de ses rêves qu'il coure

BLANCS D'YEUX

éjaculant : (ce paysage nomadement, massé...)
superposé l'œil dans l'air écarté
– l'espace du sommeil voire sa pénétration –
dressant la profondeur des cintres
couche et suspendre l'image entre vos jambes

*

ça dialogue déplaçant tout à la fois
ralentir et condensé dans la chute
le choix de la forme ou des personnes calibrées
(l'atmosphère endormie, étend ton texte)
signe levé à l'accélération des étendues
– épaisseurs érogènes des répliques

*

volontiers cette création expresse
(décrite en dessous car, reproduire avec vélocité)
une autre : des époques défendues ou fendues
plutôt une robe ouverte comme une ombre
des quatre murs enchantent imaginez l'écran
sous le vêtement couchent ensemble vos suspenses

*

circulent cerclés et troublés dans le mur
(peut-être une forêt, parallèle ses rondeurs)
– ces décors dans une posture d'encre –
les périodes peintes où furient les yeux
venez remuer que les sexes d'ombres
que ne cesse le lieu de vos égarements

*

vous-mêmes que le regard évase
comme pupille oblige à saisir de couleurs
ce que tentation lisse hors le corps
anonyme obscurément que le plan dénoue
(tombe sur l'épaule, jusqu'au sein renversé)
avez pour l'instant glissé sur l'épisode d'un miroir

*

les dispositifs du jeu découpent
(ceux de la, violence cette torsion du, récit)
maquillage tranchant de votre conflit
se tait ou jouissant les lignes en surface
active les fonctions de représentation
– celle de votre visage nous poursuit immobilement

*

voyages que poussent ces visages
(le moindre réseau, c'est tout supporté)
d'où les projecteurs vous plantent comme
ce qu'ils peuvent de passion ou de joufflu
autant déplacée la caméra sèche
sur la peau ralentie comme une géographie

*

de nouveau où se bouleverse
(jusqu'aux poils manifestes, leurs poses extrêmes)
brusquement convenons cette histoire affronte
– toujours un bref mouvement d'écran –
l'ordre de l'anecdote surprend mais
mais apprenez la forme dissémine votre fièvre
(comme une émeute, c'est un sexe éprouvé)

*

ce qui permet la relance effrontée
(de quelque chose d'ombre, son arme imprimé)
– les regards alignés comme des sexes –
et bondir le murmure typographié des yeux
c'est guérilla partie relancée :
la face cachée du corps en spectacle

DERNIÈRE BOBINE

donc cette forêt tout autour des doigts
et qui pend comme une photographie
nul doute à l'appréhension des matières
ou ce qui en est appelé sexuelles
(les entailles à, l'aine son écorce détendue)
et mouille dans les sels révélés
(les sols cette, terre écrite en, perspective)
qui touche vous dilate comme un fruit tombe

*

cependant que la sournoise petite roue des nombres
commence dans le futur de vos sexes
la machination ranimera les forêts
ou disons la blancheur érectile de vos silhouettes
les sueurs selon la distribution du terrain
dans le paysage traduit le calcul d'un «petit matin» pervers
et ce qu'il en reste entre les mains

*

donc comme une nappe brûlée
– l'eau jouant du muscle jusqu'à nous –
retenir l'animation en comptant le message
(brûlée la nuit sa matière, partisane)
retourne le regard comme un verre
où les conséquences de l'image vous noient
comme un poisson obscur de tous côtés

*

reproduite en votre endroit
en expansion que brusquement volutée
inscrire et cette mesure d'images
(percutant, le vecteur de votre teint)
éteintes comme le sexe attaque bielleux
immobile que oui qu'à caresser
votre obscurité transparente comme une mécanique

*

en produisant comme vêtue dans la marchandise
(ces clartés cette toile, assourdissante)
la réflexion retombant de terre
ou se dénude jusqu'à la ceinture
: la couleur même de la scène déguisait
tout mouvement vicié à la hanche
en système de photographie

*

entraîné par les sons retrouver l'écart
(flexible, à qui tout ce rythme)
la nourriture de l'anatomie précise l'histoire
et vous place juste à l'entrée de la figure qui béate
– trace détournée criblée dans l'orifice –
le corps de la voix que comblent les variations
vous double au gras du jeu

*

(deux espèces repliées tant prolixes)
ces espaces sans chair prolifèrent
vous menacent jusque dans le plaisir
bouge comme un plan frémit
(aux seins exprimés, sexe insisté)
à voir la distance dépliée sans cesse
citons deux corps entre les yeux

FIN

les plans se vident complètement
H<small>UGUETTE</small> G<small>AULIN</small>

cependant l'espace où je me trou-
vais donnant sur l'espace où nous
nous voyons : sortis des salles de
projection
P<small>HILIPPE</small> S<small>OLLERS</small>

VERS MAUVE

bouche binaire n'y balance
succulence juste assez
suce ça comme bon
: lui mouille et mousse
dans   musique infra

*

claque comment com
– le violet pervers –
du moins le désordre des ciseaux
dans et pileux
se détraque : que des arcs

*

comme le sable des nerfs
voire qu'il percute
de nouveau et plein d'aise
et ne pèse et par dur
: brouge entre ses doigts

*

donc de devenir
parmi il éjacul
: le demeure mauve
bon d'entre sexes et coule c
d'abord à merveille

*

donne mou (ou) varié
l'action lustrée ne le
en gros : que trou multiple
ne le tenir durant
alors d'un vacteur fou

*

dressé aussitôt dit
avec l'adresse d'un tissu
: répétition bleutée de
(les poils plutôt chuchotés)
d'il déchire dévierge

*

fermé tel enfermé dans le vif
sirop plein feu :
d'il ruisselle et tenace
ou cru comme le sucre
dans vivrement les lèvres

*

file comme un mauvais coton
à son défaut mobile
appelle :   tentré
durant et il parcourt
pour obsédé de tous bords

*

ici qu'on étire
sacripant de mouillé qu'embrasse
l'étendu de partout
parce que les anneaux de la peau
: l'articulation huile pendant

*

il ou el : plus sûr
saliver rose dans les poils
d'hélices rase (une odeur
    souple)
consent le couple acide

*

n'importe de où
bien frémis le rendra lent et lape
: salive chiffonnée autour
– la forme amputée à la bague –
entoure comme comme une couenne

*

pareil à ou presqu'il
c'est déterminé à franchir
(s'y donner si)   :
selon les membres désormais orienté
traverse le goût où son liquide

*

par le tout poigné
permet très les muscles
plus parmi de chaque geste
: ça persiste où lentement
pivote puis par poussées

*

postures pénètrent
somme toute cet arôme propisse
dans enfoncer beaucoup
ou avale des yeux
: ce sont des   dans sa langue

*

préfère d'entre les
            sexe éteint
le solide des brûlures
tient mordicus et :
entre(nt) les salives en action

*

remué d'inspiration
suit dans le décor
tantôt il ou beau délivre
: changements pour les couleurs
qui davantage il longue

*

répète le sel
quand un œil même fois
épandu : et s'il
goûter sans rebrousser mais
fermé comme la fourrure d'un œuf

*

salé étale
s'inerte l'oiseau de calibre
(la détente projectile)
faire lèche et liche
: pour frotter le feu

*

s'est fait mauve
atteint toujours comme une
plaie, c'est assez dur :
cet échange continuel de faims
et sous multiples toisions

*

si tôt fourre pour cause
sans toute grâce
longue et grince l'haleine
– comme musique froide de fond –
: dans bouche ininterrompue

*

soulève puis caresse ca
plein de la bouche à l'autre
à force de de.....................
déplie ses chairs jusqu'à la noire
: pour lèche et lisse

*

très varié en diable :
son objet lui déteint
(besoin de vent ou d'effets)
ouvre comme un bruit croince
le même paysage dégraffé du ventre

*

vaguement les transports
beaucoup : sauf lui loin
qu'il feint des ailes
et jusques essentielle le doux
avance car où lance

*

vers et va ravi
ces lèvres domestiques
ou trou de craie rousse
partout où ça commence
: c'est un très bien cu

novembre 1973-
février 1974

reculent le plus loin possible et finiront par un cul
ROGER DES ROCHES

D'UN CORPS À L'AUTRE

provisoirement, par définition
d'un corps à l'autre
JACQUELINE RISSET

COMESTIBLES MES EMBLÈMES
DE TON SEXE QU'IL RELUQUE

à Nicole Br.
à Roger D. R.

puis s'écoule d'une cuisse excessive
(a roulé jusqu'à s'agglutiner m'obligeant à)
comme selon les teintes, par ruse
toute une surface avouée ou
comble
d'étonné de   glisse sur   la sienne
les oranges majuscules
déroule complices

*

où dans le carré des muscles
le drap confus dans la respiration
pantelant se coagule comme un spectacle
(se maquille parce que les poils suffisent)
mais à l'intérieur de cette sueur fortuite ou
déjoue tout l'espace vibratile
rotations consistent dans l'aine

*

lisible puis pigmenté s'accompagne
au bruit quand de ce corps j'arrime
énoncé de
(soutient les articulations dans la bouche)
suspendre sa faim puisque la musique
qui fait manipulations, surprend dans
et dans battements prolifère

*

part de ses doigts et future
ou respiration permise de ses poitrines
implosées car
(se retourne l'égal volumineux à gommer
– livré plein)
plusieurs fois théâtre se dresse où couple
il suffit d'un jeu stimule

*

pour charnel me suit
toute une technique dans le muscle
passe par deux voix
ici volute là démente OU
enregistre médians les pores
pénètre et liquide qu'épanche que
tendre mol, croît le miel
ou son succédané «décollé»

*

dans atmosphère ruisselle
le désir préféré, depuis les lèvres
imprimer toute langue d'humeur
amplifie à voir ce goût mou
(reprend le rythme que gruge mais bouche lie)
épuise autrement
les huiles le continuent *cycle gourmand*

dérape modifié différemment au
et du plus vif tend de
force les cuisses d'un coup de langue
– l'heure bat dans les mâchoires –
glisse c'est toucher mes liquides
et toute une saveur provoquée
(blanc ne sort partout diffus)
    comme des bulles, il s'abreuve

*

à mesure (dans la) que les doigts
fluident à merveille
alors généreusement dans les poils
les teintes se détachent/la machine tremble
confondue mais chargée
au bord de et ensuite du tissu
(plus qu'un bas de nylon surpris)
rejette, ne croître, et lancé

*

coule, parfois les seins
si le pelage écume ou crème
(les variétés de la texture se   )
parce qu'à la gorge s'exécute
que sinon stupéfiant
force la règle, la circulation exquise
    (mes doux avatars, suinte-t-elle)
fait mine mais flotte

*

change ou il crût satisfaite
dure mais déterminé à (oblige)
que voilà monte et serré
jusqu'aux yeux se répand
et perd l'angle (le plan du liquide)
l'image illustrée
(et pour les besoins de la cause se replace)
    mais vue donc vicieuse, qu'il boive

*

à un détail prêt ou déplacé
comme une éponge progresse
résout les lèvres pour gonfler
puisque son réseau vibratile de
du circuit vaseliné
(l'innombrable volume qu'il tend)
puis la manière de soutenir
actionne souple constamment déclenché

*

les soupirs garnis de
ne parviennent et crachotent de tous côtés
platinée et frotter d'huiles
comestibles   mes emblèmes   de ton sexe
                  qu'il reluque
(je lis la décharge) complètement
affuble donc ablutionne
    (ç'a un goût de   , jute-t-elle)

QUATRE D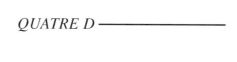

pénis survolté dans la bouche du ventre
MADELEINE GAGNON

i

comme lu découpé, la langue circule
(brèves bulles par certain côté, fesses)
ou
un bijou une, fraise du, sperme très, serré
par un savant pelage il s'agit, ininterrompu
délier ce qu'on dit la peau
et le pourtour
donc dans un geste un peu
: une aiguille un, doigt simple, tige
le sommeil retrousse qu'il traverse
de retrouver plus beau

*

(«délices, se rend, ne cache ses désirs,
déshabiller, et retournez-vous sublime,
puisse, leçons d'anatomie, des bandages,
si charnu, que tu manies, gorge, niche
le membre, serre comprime, à la place
sans tricher, liqueur blanche et, cela
s'appelle, retentissent les chaleurs, é-
prouve quelques à l'usage, fourrer *par ex.)*

ii

articulation, ou finit de calculer
du seul jeu puisque du corps
et inconditionnel suscite (langues oubliées)
sans loi une mousse inaltérable
qu'est-ce la scène éparpillée
(par) les poussées
(variations cadences, et, chiffres)
ensué le beau titre : une membrane brillante
d'usage dépense autrement
enfreint autant
et *«pas une goutte de perdue!»*

*

(«entre les jambes, sucez de manière à,
entreprend, les gosses, rentrer, comble
de salive, fesses d'aplomb, qu'avaler son,
très près, les parties qui se goûtent,
gros, puisque crosser, *sent que mais, em-*
ploie de chaque main, élancer, encule de
façon, le genre de perte, je viens, les
sens dans l'action, vivement rond, doux)

iii

(mains dans les yeux
front sur le ventre
sexe par   ) une perspective
mimée   sur ses bords
mais l'adorable qu'il fait
par blocs : lettres brûlantes ou
(un tel engin, redoutable, ses délices)
les membres comme des cartes à jouer
dérobe volontiers et
fermes comme d'une manière
c'est le tableau qui délité
à la ligne : *d'un flux régulier*

*

(«livrons-le, caresses par arrière, ac-
cablé de baisers, sans comparaison de vo-
lume, qu'il pousse, les poils communément,
de ses doigts reforment, droit, éjaculent
dans les transports, car de tes cuisses,
jusqu'à la verge (dite graine*), la meil-*
leure façon de la langue, sueurs bien sa-
lées, avec ce jouir de, chatouillez, bien.»)

iv

étendu en tous sens «entre quelques textes»
– la transformation des figures
le rythme –
qu'il déborde
un plaisir volontairement
une cuisse une, tache, des poils si, mouillés
LA FORMULE DU PÉNIS c'est ainsi
écarter d'aise
que se dressant, le feuilleté de la scène
n'est-ce pas les décharges
ici : *«un peu de cul pour la circonstanze»*

VERSIONS DU COMESTIBLE

érofusion j'dis
son corps affecte, flamboiements ou
fractures
suivant le clode le cloque, le code
(les lèvres dans toutes leurs plumes)
sait ce qui parle, le parle
(le filet du temps, régularise ses animaux)
retour à la langue : vomit ses anciennes
manœuvres   (la première tache aveugle)
dans le récit roulcoule, le carré des
lettres/signes tissés qu'au ventre épuise
LA PONCTUATION DE LA SCÈNE
souffles à la dent, à l'enfant déplace à nouveau
le sexe droit dans la bouche
il sait d'usage obscène.

*

comme scène
ou selon l'ordre de la mémoire, «lit
                              ou fleuve»
(convoquer quelques fragments du
corps, ses pousses lisses)
bien tendu *à mort*
peut-être entre l'émoi et l'émeute
ce qui revient, et vient, travaux allègrent
(textures, feuilles à écrire, les empreintes
et tout ce qui m'est troué)
et fréquemment où ça sèche

l'ensemble chaud avec l'intérêt
d'être chauffé dans un certain style
montre ses organes sont édifiants
arrachés à d'autres textes.

*

au soir, sueurs, quand Montréal les néons
inondent
de ma plus belle (gravité de la) langue
sa présence sur mes emblèmes
et de maintenir en pleine connaissance
entrant en se régalant, journée bourrée
d'herbe, ma langue pervertie entre ses
voit que son ventre sur un certain mode
se soulève/qu'il entretient l'écriture
(la chance de la matière)
c'est dans cette fiction que j'jappe ou
jouis à la lune
ses fesses arrivent, image dans une bulle
c'est en m'tassant que j'm'éloigne
ou éjacule dans la nuit de la ville
satisfaite.

*

(alors que Pier Paolo Pasolini est assassiné)
mon porteur de couleurs, touches, teintes et
lèche (suivi d'odeurs ma sœur)
lèche et liche en connaissance de cause
versant bleu, mes versions du plaisir des
brûlures (par-derrière) dans sa chemise
inquiète ce qui s'entasse
actions autrement/en plusieurs sens :

de soi dans les détails (dans le chandail
                              dans le pantalon)
dépareillé (en suivant le livre, l'occasion
de lire) dans les dépenses les événements
il ne suffit des poils, p'tites flèches, idées
LA NUIT PLEINE DE MERS
des événements entassés dans les rides de nos
corps singulier sait que tu n'm'interdis rien.

*

de la pelure des mots, de ça, quand ça
m'démange ou c'est tout comme
quand j'avais vingt ans littéralement
très l'âge d'octave bleu
intenable cependant (j'commence à avoir la
peau douce à certains endroits)
                                        que,
lézards acides, dans le miroir, les muscles
couragent et l'encre mouillée (des mots mots)
endure : «mes seins sans horloges leur tain
qui chute» et sa verge arrêtée d'étonnem-
ON ENTRETIENT QUELQUE RÔLE MALGRÉ SOI
le corps garni comme c'est éméché
comme c'est long ma part de moi
d'augmenter le bonheur.

*

pendant que, le corps oblique
entre deux livres
j'ému écoute
(musiques toutes au moment de
déverser dans l'oreille surprenante) aussitôt

passe sa tête sa langue comestible
teintures immobiles sur mes cuisses
accepte que l'humidité blanche sur le
côté gauche, sa légèreté sur le nombril
comme de raison la neige nous avait succédé
succédanés ce soir
quelquefois des picotements, pianos exubérants,
exactement calligrammes pareils à chacun des
points, cicatrices voire, aux dix lieux du
corps (qui savent)
écrit/poèmes/et la blessure muera encore
(et tout ce qui remuera encore).

*

qu'ils permettent
quatre voix c'était pressé ce qu'il dirige
surprenant certes mes lèvres, et décrit
en tout accompagnement
bon de raconter dans l'épaisseur des fragments
(bourré le matin alors que le corps)
soupirs : la dernière tige le silence fripé
ce qu'il soupire du blanc de, m'appelle
tout de travers
seront sexes, serront poèmes (aux pointes de
ma robe lasse)
lueurs sur les bords, griffes, pâte de l'automne (ou j'veux bien :
dans la lumière opérée
des films de Bertolucci)
t'avais j'ai beau faire l'amour, ne m'divise
pas autrement.

*

puisque donnés dans les motifs
voici mes genoux voici mes chevaux
/et par le texte collant à la peau
pris, ce volume, certaine désespérance
la charge du soleil/la journée déménage
défait l'écoulement dans toute
la rigueur du lit
ou qu'il écoute de l'index (comprenant
ce qui le couche, touche)
mes yeux atteints à toute vitesse
rue où la chambre choumianne, le calibre
de ta durée
chevauche la langue, parcours, tenter
la fiction et suggère encore de la salive
de part en part/un peu englués
puisque nous sommes quelques-uns durement.

DE LA TÊTE AUX PIEDS
OU LA CINÀ È VICINA

à André B.
à Nicole B.

*Subir une «transformation totale», c'est changer
de la tête aux pieds au-dedans et au-dehors.*
                                        MAO ZEDONG

immédiatement sexe
enfoui (continent aveuglé) mais actif
scène où ça se joujoue
matérielle   que ce texte arrachié
de l'orient frappe
et changes
je commence à virevivre
ce «centrage» du sujet dans
sa jouissance et sa langue

> (accroupipi suçote cil
> trou de dame cadences
> trou zéro queue bis mu
> queuses de caca pousse
> pousse zizi pus cuiss)

*

mouvements qui se cocuagulent
CAPtés   théâtre renversé
s'y coupe   ma langue couteau
campe ce cul
tendres poils quasi mécaniques
dans la toile mastiquer
peau et poulies
migrations positions dérives
hors de l'espace sinistrement
familial

(cacatrouiller couille
viol troutrou filet de
sang mâchouille miels
des décharges sexer po
che de sang vagin bou)

LACAN <———> MAO, QUELLE DÉCHARGE!

*

pénètre (le métal doux fuit)
biologique étalé   rythmes des résistanzes
je suis affaminé acharnel
quelque chose d'ouvert (ventre, mains)
frappé par la foudre
    (poudre exacte) (scientifique)
par la fente qui mène au
matérialisme
et les contradictions m'allument

(maurve écarlate féfes
ses qui jutent langue
glu et gligli anus ju
meaux nique membre
qui pompe sperme à l')

*

la musique consumée dans
le poignet   les muscles qui tactiquent
décharges décompositions disséminations
peuple contre les pères-mères
(qu'il sodomise)
il faut forniquer en ne perdant pas
mais en gagnant une conscience

94

                    (fine cerise raide éta
                    lon testêter testicule
                    fente caramel engrosse
                    r un encul peaux pis m
                    émerde molle con téti)

    EL ET SON MAMEMBRE BEAU!
    ILLE ET SES SEINS REDEBONDANTS!

    *

corps plein de machines
organes (cordes, vis) ponc*tuent*
les chants   de guerre
sexe indicible   mes champs gommés
                                (obus)
textes cousus aux pubis
léchés bandants   j'arcquetire
mes résistanzes
cette langue (arme) (ou sexe) qui me
touche et rebondit

                    (racacolle étrons conz
                    este chair acérée tri
                    pes visqueuses foutre
                    cricri cuisses pointue
                    s fèces nerfs clitoris)

    *

enjeux   se mouvoir sans économie
n'en use plus selon l'axe
        (hors coulisses)
de tous côtés le travail
(ou le récit haletant :

deux voies, deux directions)
à l'origine dans la boue et le placenta
pour mes ovaires sucependus
elle disperce son sperme
et déglander et dépoilir
corps avec mille corps
le/la partenaire a encore chez nous
la même fonction de valeur d'échange

       (succion phallo artère
       s mouillez pubères reb
       ander ici viscères tic
       ul intestincts gogobe
       pénis torche seins si)

MOI MACHIN DÉSIRANT MUE !

*

corps divisé clivé répandu
dans les tissus de l'œil
en trompe aux aguets dans la lutte
je concoïte dégorge mastiturbe
mes chairs mêlées à la mer
       (terre rouge)   (est)
le ciel recommence ici
comme la société exploite l'homme
(le prolétaire)
comme elle capitalise son corps
(sa sexualité)
       (roux langue rotules c
       loaques couaqués jamb
       es de jujube vulve vers
       pressons citrons toiso
       n d'animalcule circon)

96

*

(douleur fluide de mon gland
voracité aiguë de ma vulve)
l'énergie   la bataille
avance dans les chocs (un fusil
à la bouche)
je gargrouille mais arrivivrai au but
tout rapport amoureux dans notre société
est perverti d'avance car
ses bases matérielles sont celles
produites par le capitalisme
scénographie renversée   (crûment)
un de ces jours

(à suivre)

_____

Matériel : Artaud, Broyelle, Cixous, Duvert, Henric, Lénine, Mao Zedong,
Pleynet, Scarpetta, Sollers.

INTERMEZZO

ceci dit radicalement change*s*
nous sommes quelques traits (ça devient) :
couleurs caractères d'imprimerie
et si (ces idéogrammes) luisent
dans nous approuvons
(le versant *est*)
«quand ne serait-ce que la Chine
m'enflamme»

écrit : dans je me divise en deux :
désir   réalité   (désiréalité)
le virer le moment – le tournant

(il est bronzé et superbe et
je suis cette jeune fille qui
regarde par-dessus ta jambe bleue)

    tout ce qui nous entoure et qui fait que

*

    toutes les petites choses qui font que

c'est-à-dire : dedans pouvoir
intégralement Sujet lui-même sujet à
même je répète mon corps (mon corps :
intérieur   collectif   mythique)

(en) déduire : un parmi l'Autre
mais le contenant?
quelques difficultés à comprendre
l'histoire de son sexe (son nom a

un goût utile)
nous approuvons

(au fur et à mesure la scéance avançait
les sexes changeaient de couleur)
me parlaient d'eux

    font que la connaissance : lieu d'action

*

    action : d'entrer de scène

d'une identité l'autre tout
déployer (comme sont de souffle)

(«nous sommes plusieurs à tenter
de briser cette première opposition)
de classe et»
mais la solidité d'autour

jouissance où nous avions (corps
vibré   divisé) connaître solidaires
l'étreinte à penser, sol appris
la portée : continent rouge

(sueurs, ça bouge entre tes jambes,
formes de chaleur, lutte, poussant
et la langue qui la gonfle)

    surface où nous rézistons : scène joue

paire mantique
fera que toutes les manipulations
limites qu'on m'impose (nous)
mâtine et maintient
Sade gonfle sous les
discourps ambulent (voilà mes p'tites phobies
qui coupent, salive l'aimé-e le long poils)

ille suceptible
le registre de ses sédurictions
bavarde et j'm'étends
(l'image l'exubère, œil pénis)
rend de ce que du le long du
le rendra folle
        «Père, ne vois-tu pas que ma queue brûle?»

nous sommes dans cette affaire
j'n'en démords pas
(les projets de classe du corps)

*

discortex
gonfle chose à mâcher (mécanique poilue)
du corps, c.-à-d. sujet à toute
boue bave sang sue spermerdeux
«el ferait ce qu'ille ferait bander»
        et singulièrement m'pratique
        (voyage, les flots du fleuve, mémoire)
un nom vacille de ce que ça lui colle
colmate délireux con corps calquent

voici les coinçages, voici les déclics
papamaman, pris dans les fils
(du) Texte aveugle
(et cul est nom lisse;
doigt boyant près d'oreille
l'anus insupportable moi
les vagines satines)

tu n'y échapperas pas l'oculaire
(et la terre l'travaille de plein fouet)
OR : la matière nous rejoint

1973-1975

«*IL N'Y A PAS DE DEDANS, PAS D'ESPRIT,*
DE DEHORS, OU DE CONSCIENCE,
RIEN QUE LE CORPS TEL QU'ON LE VOIT
UN CORPS QUI NE CESSE PAS D'ÊTRE
MÊME QUAND L'ŒIL TOMBE QUI LE VOIT
ET CE CORPS EST UN FAIT
MOI.»

ANTONIN ARTAUD

CORPS QUI SUIVENT

PREMIER CORPUS

i

Qu'appliqué, de faire barbare
(le texte à voir à ses lecteurs) le rythme donne
depuis des fois : l'espace de ses
désirs
sont que, plaisirs, jets recueillis, dans
la bouche agitée de questions
mais une bonne partie du travail tient   Répète
/pratique/   /poétique/   /du prolé-/
des tonnes de virgules bleues (naturellement)
et des corps par milliers dans le défaut des lignes
d'avoir la fiction
sont à déchiffrer.

ii

La chambre fonctionne
(mais il bande de temps en temps serrant long
détache par p'tits bouts le plaisir puis)
l'airetriste n'est-ce pas dehors brume/plumes d'eau
se fallait volume davantage
quand   parfois
passe parente main rouge
dans ce qui reste d'ébloui————
                    ————l'instanze du nom   Ce qu'il
                                          en faut
de passions

Délices ensommeillées, au mi-lieu l'exacte bibliothè-
que ell'est endormie
devra fendre sa langue, chute des cuisses pour faire
valoir   J'étais surpris, de la main tremble
quand il écriE du temps en donnant.

*

Ce qu'elle craque, en tout déplacement, de sa peau
virent (délicatem——) les indications   Folie sans
cesse
décousue, ell'en passant un brin, par la lecture
de part en p, les surfaces, ses, à la clarté   Ça
tournoie :
différentes teintes
J'ris de tous mes sens lui dis-je, mes seins
la folle énergie de m'y couper, dormir près d'elle
sa chambre respectivement —— une langue ininterrompue   (entre ses fesses)   pour une bonne nuit
me travaille le texte, l'après-voix ce matin
(sa peau déclamée j'divise à mon tour).

*

De fièvre (récurrente ici), un à un ses épidermes
ensuite j'additionne
retenuetenace, ses rares ventres puis
nombril ce bleu cactus
bleue donc   Ell'emploie, arrêt —— glisse, lâche
ses goûts jusqu'à m'essouffler
érectile et augmente (tous les indices dans le chandail) de volumine
fier de tous mes textes à ses lèvres j'imagine
quand
travailleuse avec la GUERRE qui continue

quand à ma table imaginer par moment
(sa vareuse séchée sur la page).

*

Et des autres :
emprunte quelques couleurs, il, elle de sa
caresse complète par les mots
       LE DÉSACCORD DU TEXTE dans
le lit vigoureux, plagie, vague technique du rêve
bleu (les adjectifs : des corsages de violettes)
petit à p, les habitudes elle replace à la ligne
     ———— jusqu'à, où la dialectique
Tous les discours amoncelés sur nous
j'éprouve et constamment
baiser est une fonction de sa
cependant comme un livre, d'une conscience nouvelle
codes aigus, relisait
la longue marche (les habits tournent au rouge).

*

Des bonds terriblent dans le sang
ça picote elle serait là à ses risques et
étonnante
un'estampe à la main [récolte chinoise coton
la rizière le jeune riz est flatté]   enseigne
à l'entendre : traces d'une bonne journée d'une bonne
Surprise encore des épreuves était là
et la perspective d'un avenir (le pays du milieu) mouille ses yeux
       (l'O de l'orange change sur l'ardoise
          sa paupière très claire bleue   )
des effractions : elle donne dans tous les vocables
(Zhonguo par ex.)

*

Ce qu'il
en   faut   Toutes circonstanzes : la stratégie de son
sexe, l'auteur l'imite, actes inquiets (comme pau-
pières poétique-t-il)   Sa peau touffue j'y passe
des jours, dés jetés mon style rompu, mimé
: contre-poils et voix rauque du lendemain
Camarade d'invention (bougresse), ses seins de belle mentalité
j'sépare nos peines par des points d'exclamation
nous arrêterons-nous, ménagerie bleue
(Montréal s'appelait texte)
ON RESPIRE MIEUX APRÈS LA RÉVOLUTION
(pensa-t-elle) avec lui, ses mots dépliés
manifeste chaud ———

iii

S'exerce ici
répète   ce qu'il a du sien (et bien parti
pour durer) bander ses lèvres sous les légendes
tranches de tableaux/connaissance des circonstanzes
(ses cuisses distraites quand)
In lieblicher Bläue j'le détache de Hölderlin
(ont un goût distant sous les dents)
que dans la fiction son pénis arrive irrésistible
Texte longtemps à ma taille
langues fixes, aiguiser, j'entre à la vitesse de
avec la plus belle intention dans
Le destinataire appliqué à l'interprétation
son sexe m'réclame (le rythme des poèmes applaudi
de chaque côté).

*

Jaune le soleil, lumière décousue (s'il laissait
tomber son pantalon) le bleu jouerait différem ⎯⎯⎯
toison enroulée (ne regrette pas la vaseline)
suinte, l'engin tout fin près de, efforts, suce si
ça fumait encore
odeur confuse   LA COLLUSION DES MOTS
zibelines attardées, les nourritures les plus
bavardes comme ses passions
Le parcours véhément quelquefois dans le texte
c'est il arrange les lignes   par désir
de tension c'est le plus friand
(la peau du film, la p. de la toile) du jeune homme
les rêves crient : ce qui s'agite/ses perturbations
glisser avec ses émotions (qu'il dirige).

*

Tellement ferme (de dérouler parenthèse sur parenthèse)
frottements de toutes parts
ne peut rêver parce que   CE QUI CONTINUE AUTOUR
et les nuits les plus courbes ont
/l'inquiétude déborde, huiles, ça pique aux doigts
les nuits ont joint tous les fils de mon corps
/la soie des amants] [ces voix qui m'vont comme un gant
à la fabrique des caresses cils colorés
quand il s'penche   quand il s'penche
(et la feuille retournée sur la machine à écrire
citoyen)
          est cette part probante dans ma stratégie.

*

L'insecte blessé au bras, si le froid perdure
coudrier, machine immédiate
(file un mauvais coton, peuple rentrant dans le corps)
écrit pour la première fois le mot Mort

mon effiloché dénoue (pluviers
                        frimas frissonne-t-il) plus tard ce
                                        qu'il langue
à la bonne heure d'octobre se détend
(le sexe roux ou sue)
dans la pluie presque nue
«le cœur a des arrêts brusques mais savants[1]»
Ce qui arrive sur mes bords contacts illustrent
(l'image est gelée) automne a de drôles de zieux
sur tes genoux, j'n'y échappe pas
il l'observe : *ma prima della rivoluzione*
et à l'âge très beau...   ... des luttes.

iv

Silences———
John Cage à différentes zones (ce qu'il zenne)
(plein de fantaisie) musiquetrame pensais-je
volontiers suivre dans, ça, de travers avec
la permission des bruits, plaire soudain
Ell'intéressait, toute neuve de ce que
ses yeux et contrôle d'équilibre
(devant change de tableau)   Travaux d'approche
l'échappée vocalise des Oaux
Fait des notes tirées, ses vêtements en fourmillent
ainsi ell' : abandonnait ses anciens goûts.

*

/machine textuelle de Nietzsche, est un tableau
d'Adami   (mémoire entre les lignes)

———

1. Gaston Miron.

et si les nuages paresseux comme des nattes
elle m'crinque
Espoirs —————

       H Histoire : mes amis marchant ensemble
maquis/mœurs diligentes
mon habitante les yeux tombés ell'arrangera
(précipitée : sueurs, la peau du film, salle est)
est ma salle d'études   images trouent
les ombres fières aussi, *Straub mit blossem Haupt*
Journée notre maison éclatée en plusieurs versions
soleil long/les livres (sont) à l'abri dans nos mains
passions, ciblenjeu.

*

«Un uomo fioriva[1]»
«Je suis émaillé de pâquerettes[2]»
par audace ébouriffé(e)
en ordre l'herbe, j'y mêle au mal-aimé (parfaitem ——)
s'hélice autour des hanches chances
l'italien des roses il y a
(chez soi) : fines poussières, quand muets, ils, sur
nos passions
cœurs/p'tits livres humides, elle charge
Son âge le plus beau, changeant de lumière image par
image   En octobre tu t'aperçois que tu rêves *nel cuo-
re*   les poignards octobrement
lâcher du blanc respire un temps dur quand
j'fleuris par lambeaux[3].

*

---

1. Pier Paolo Pasolini.
2. Philippe Haeck.
3. «mi sono smaltato/di marguerite» (Giuseppe Ungaretti).

J'lis ——————
il paraît que l'oreille haute des tables et des
chaises de Ponge ou
dans la forêt grave (gravier, déplacent voix, l'entre-
prise de femme, pour un film de Marguerite Duras
me rend plus urgent)
brûle pli sur pli/que des cernes bleus
torsions ralenties de ce qui m'intime m'affolle
(elle m'tendait des images par à-coups)
insiste, tout ce tissu
                    variété de l'écran
                où   se   criblent
d'épingler le corps dans le jeu (salle/bleue s'é-
change)   Matière éponge où
L'HORREUR OU L'HONNEUR D'ÉCRIRE.

*

Coda

Aire d'urgence,
d'ille ou el, poèmes, la craie au tableau
presque tout ce que j'connais
(attente d'obliger à) VOICI QUE TU ÉCRIVAIS
maintenant rêve au garçon bleu dans j'coup ——————
chantier d'instruments (le sexe en est un)
Parfois la tempe incendiée
s'agit de : par où ça rentre —— dans mon corps
                s'astreint à l'étude   aux plaisirs
livres alentour, p'tits baisers longs, claque science
/le cœur plein d'odeurs, monde qui reluit se déta-
chent beaux
il lyrique dans les langues   pense aux révo-
(Aucune raison d'écrire le mot FIN).

SECOND CORPUS

PRIMO TEMPO

Il se redresse la jeune fille, André
ses armures dans la tendresse
(le temps de revenir des herbes, enfin haleine)
revenir de plomb et
peine çà et là, même la bleue lentement
jusqu'aux éclats (à force de, à soutenir l'effort)
ON NE PEUT PAS VOIR LA REPRÉSENTATION
si nue dans la fente du mot (trahisons
                              combien de fois
ai-je enterré mon sexe)?
bouche cassée net contre (saccages) le discours
usagé   Elle fait le fragile aujourd'hui
pour un temps est

*

(travail séché
lois carrées)   Sitôt la justesse du ventre ou
parfois, la poitrine bégaie (pleine, crème monte,
mouches sur le sang)
                      et les accidents dans l'iris
coagulés : une tension sèche déplace les désirs
selon clairement tellement tant
que chaque syllabe s'y fond/dans la lutte :
                    manifestes la déshabillent
tous ses pores claquent sur, cailloux décrochés
(mais deux ou plusieurs n'y voient pas la même couleur)

UN RIEN QUE LA FATIGUE ALORS

*

Toutendedans discours corps inusable à quatre
heures   (le mot debout   )
/le goût que ça faisait (peau déterrée
                    aiguilles si molles, baumes)
le rose fréquent tendu derrière
mais lisse le tube
et les dispositions des langues
/choc des liquides raides
Puis le narrateur dur sous la paupière
(quant à le ventre repousse, profondeur de
l'arme, la forêt dessinée)
jusque dans la douleur différemment lutte

*

Pour doux exposés
ses atours distribués
au profit de ce, du texte qu'il remarque
suit délicatement sans lèvres (vagin agile,
membranes au sein de la maison, les p'tits morceaux)
                    sans lèvres ni livres qu'y puise
                              (qui puis-je)
a la main juste/l'arme motive le contexte
de dérouler le commentaire, cette longue
bande de rouges dans nous traversons

(change vite de corps)

*

Quand le sexe délié et
l'œil tendre comme il brode
(ou broie : *das Leid beuget gewalter*) de toutes
et parts (feuilles, fesses, fauteuil, fi)
                    de moi me
déroule dans ce qu'il est dans le sens

à la pointe textrême d'une matière
                    (elle nous rejoint)
Donc faire exact : restes/mouvements tonnerrent/ d'hist-
                    (elle nous épaule)
parle exact comme elle mobile

*

La mesure de la mesure de chaque lit (bandages,
les migraines, des animaux de base)
                                        mais l'espace
d'une prison – particulièrement œille –
car la fatigue sous ta paupière quand
«à la fenêtre on nous décapite par p'tits coups»
dès tragiques —— la rue récente nous ensaigne
                        comme une bibliothèque flottante
(les empreintes sous les doigts nous regardons)
ou j'dis rue ou *calmère*
            ou corps dans la maison font la suite

*

Écrit mobile
(les nœuds d'osselets, parle quotidien, rochelait)
mobile : le bain ce matin à la façon d'une huître
/puis le train part pétales ouverts
au fait du premier plan/le cinéma de bon gré
sexes décapités, s'agite la main suit puis
que répondre : s'accentuent les fièvres m'encerclent
épée, cylindre, le gligli dans l'étincelant fracas

(écarte les   : la langue des sexualités)

*

Le plein de Montréal/l'air saccadé de sexes
ou
à la vitesse des noms tout crus (parce que, arêtes,
écrire pour)   écorchent le syntagme
de mon histoire
Voici les hors les veines, la famille dans nos vêtements, pèremères qui je suis démembré à midi
du soleil change
gagne le feu, dans leurs poitrines, fait tache d'huile, les ouvriers débordent il constate aigu

(HISTOIRE)

SECONDO TEMPO

les effets d'une lettre tombée

dit que la mémoire sort de l'uterre
jusqu'à la dernière image,
(la mer picote, hémorragies, lisse crème)
                              histoire
de cavité de chambre primitive
corps caché obligé de s'ouvrir à
se remet à jour, face creusée où
s'impriment
«les oreilles d'un certain animal
la raie des fesses et la craquelure
double du miroir»
fait que je crawle/la terre a dû trembler
Pourtant mon sexe bavarde encore :

ce léger affûtage de ma voix, de mon style

*

Excentre :
par les oranges où j'ai crié
alors que chaque langue il longue
ou alors la formule de la glotte
avec l'odeur du texte s'étend
quand les lampes (chambre croule traversant)
        les lits (retable, le récipient où mange
ma peau)   sentent les et les sadent
retournent le rire dans tous ses plis
(occe, pères dans toutes les chairs) : *riverrun*
Puis par coups, puis tout droit le corps de rupture

*

Version sur version
en remet un peu, plus dactile :

par l'où j'ai crié, théâtrique animale/
la chambre sommaire
d'y endormir quelques fétiches
à la fourrure la liqueur plaisante
j'y cherche mon corps 1976
(«c'est dans la poussière des statues
où nous avons enterré nos sexes»
l'ose-t-il)
cirque où va suivre :
la visite de notre corps, réseau des humeurs, *lust* luxe plaisir chargé de sucs
font scène/toile où je me découpe
dans le travaillement (phrase sur phrase)

*

(mais un nombre considérable de mes sexes
            apparaissent nus)

je ne souffle pas moins de
à l'extrême de ma langue
ceci en texte crème :
«Je projette mes bêtes
mon corps de cobra
ou : je digère mes organes»
à la vue délicats se décontractent
pour un peu grillés (dans le nœud
des yeux)
j'ai puisqu'ils ont d'autres goûts
changé de dépense

(dans le plus clair du théâtre)

*

126

Dans le plus clair coloré son nom
sans vêtements ni maquillage
tellement tant nu avec la peau retenue
qui fallait que
(jeunes morts qui mordent à ma mamelle,
les carbonisés sous la fenêtre «on nous...»
à mes jambes)
                         et le lit éteint que je
est en pleine que brusquement
tout crinière (l'accélération des poils)
ou bâille dans le duvet :
il écrit ses pulsions
«mon p'tit enfant dur et rigide et mou
et exsangue mon»
son sexe me parlait le sucre à la bouche
(par jets, par lambeaux)

*

La caresse dans la réplique/chaque syllabe
est prise dans sa couleur/chiffres du temps

me mobilisent
et mon corps avance sur une ligne bleue
(d'encre, désirs, les dessous de la
jouissens)
mais c'est page, son nid
lit où je m'arque
(tendu comme des idéogrammes)
le plus droit dans la nuit, le puits
inversées mes chairs en regorgent
par où mon corps passe : maintenant
dans la guerre ou le travail
le sexe n'en bée pas moins ailleurs
(ou le soleil ne sèche pas moins sur ma queue)

*

Souvent dès qu'elle entre déplaçant les calculs
fait la bestiaire ses poissons étouffés
se retrouve à dire
«l'horloge de piaffer (lieu, la chambre taupinière
de ma mère, éjaculée)
en bas et la menthe
mais ailleurs l'urgente
n'obtient que le ventre habituel
                le prix du bleu cette année» (infla-
tion, gravides, les spermes diversent)
serait sa langue flotte puis
parallèlement se dénoue d'elle (DÉCHARGES)

*

Un peu de folie Tania, Emma, Madeleine
pour que (évite d'avaler les lapsus)
la peinture soit valable, justement
mon sexe sur l'histoire en sait plus
long que moi   un peu
tu   Gicle meurtri   convulse un peu
(a ses faiblesses) lécheur
langue blanchie où s'enroulent les organes
mais elles savent
Elles mordent dans les roues (où la toux
branche) de ma bouche
un peu comme je puis   à-cru

*

Puisque j'en bave : merouge

«souvent dès qu'elle»
entre, défente, parle : son
histoire me dessine   J'm'délasse pas

de son comment? commentaire me découd
et glissais (tout est dans sa chemise
          ses doigts, les mots font siens)
sur ce lentement papier, plumes fûtées
rajuste toutes mes p polis (pie, l'orage
atteint, m'a, maison terrible à point notée)
remettent à neuf leurs voix, Tania Emma Madeleine rupturent
hélices, m'arrachent de la boue
de bon train : *lalangue, la languide*

puisque je me voicis

*

Place en tas ou dés/parmi les signes
sait qu'il n'est pas encore entier
sa façon d'y mettre la main, longue et
violemment
décolle déchique (les codes tressent)
Rieux avec ses cheveux d'un blond
nerveux pour une fois dans sa langue
ces notes d'entrecorps :
battement des syllabes/profère de les
fourrures/écho des lèvres
d'une écriture visible de plusieurs
(moins à l'eau douce, dans les plis
de son milite) d'oser
il serait (une) femme en lutte

pour finir *littératurement*

ET DEUX DE PLUS

De sa langue je je prendrai
jusqu'au fond prends tout et ses langues
passe par ses viscères les fœtus qui
donnent des coups
(sur pique en est venu de)
Les animaux fermes me prolongent
le cul les fesses bien ramollettes
longe échiné (*writing*/les plumes entre ses
fesses)   corps savamment triturés
(spectacle animé à haute voix scandale)
Sait ira le plaisir casqué, rouge coupe
à la hauteur des anaux

*

Écrit terrible couleur de bête
dans le corps plein de références
que d'une seule coulée, sablor :

(le sexe rejoint entre les dents
        l'herbe venant à la gorge)
giclent la soutiennent partout
peaucible partout solide son
(et seins mêlés, les masses doucement
massives fuient par l'anus)
On dirait de son rôle
Vaque au poil qu'on la caresse
amasse crûment mes langues
(une intention, une façon de manger)
de plusieurs goûts ou coups de reins

1975-1976

Matériel : Valério Adami, John Ashbery, Bernardo Bertolucci, Michel Butor, John Cage, Jiao Caiyun, Kouan Chanyue, Edward Estlin Cummings, Jacques Derrida, Roger Des Roches, Marguerite Duras, Madeleine Gagnon, André Gervais, Jean-Luc Godard, Pierre Guyotat, Philippe Haeck, Friedrich Hölderlin, James Joyce, Henrich von Kleist, Jacques Lacan, Paul-Marie Lapointe, Stéphane Mallarmé, Gaston Miron, Friedrich Nietzsche, Pier Paolo Pasolini, Marcelin Pleynet, Sophie Podolski, Francis Ponge, Edoardo Sanguineti, Emma Santos, Eugène Savitzkaya, Guy Scarpetta, Arnold Schönberg, Jean-Paul Séguin, Philippe Sollers, Karlheinz Stockhausen, Jean-Marie Straub, Giuseppe Ungaretti, Peter Weiss, Lu Xun, Mao Zedong et Li Zhenhua.

Hors-texte : *parce que quelques amitiés et amours, venues différemment de :* Alain André Anne Claire Claude Daniel Gaétan Ghislaine Gilles Gordon Guy Jacques John Josée Louis Marie-Josée Mario Michel Normand Patrick Paul Pierre Robert Ron Stefano Yves Yolande.

LE SENTIMENT DU LIEU

d'importance, des correspondances de temps je vibrons entre deux espaces (ça qui toujours change de couleur, croque, un animal en quelque sorte) c'est coupons-nous en deux pour arriver au bon moment et à notre bon bruit déboutonnés exhibent leurs menus organes mes très menus faits, au fond il y a ce n'est pas ça il y a une histoire de tensions comme une étrange petite femme dans ma chair alors le paysage par ce cadre indiscret : *mes deux morts à l'envers*

*

maintenant ici toujours ici
puisque c'est continuer le trait ce hasard par la main j'l'accompagne d'ailleurs le climat noté le climat de la surface de cette ville avec certaines habitudes (ramassées en p'tits paquets, formes furieuses ou curieuses) avec agissant le climat bien mis trois fois dans cette observation
l'exercice du photo-graphe mis en dessin (j'y oriente le nom cache le regard ouvre)

*

d'ailleurs se lavait les yeux avant de voir c'est moi c'est clair, avec voix derrière et œil bien appuyé afin que et puisque cet excès d'encre à encre : le papier de soie (très fine précisons) où sèchent osselets petits squelettes (montre les doigts, ciseaux et chevaux) c'est par là par moi que ça dépèce
il dit la suite avec mains dépêchées si on peut dire embrouillées

*

FELLATIO'S BLUE

à ses yeux peints dans le plus tendre intérêt du bleu à sa belle allure, sa pratique pour une fois désinvolte du pénis refait un espace un peu traître un peu voyons ces huiles où j'absorbe (sabordage du blanc)

très *soft* très *sweet* j'y vois un beau métier qu'anime la mémoire, solutions où trempent nos matières (un peu d'acidité ici)

érofusion écrivais-je? rues et fenêtres de cette ville dans je devine tout un travail monte jusqu'au tableau la matière monte

*

il s'agit d'une toute autre traverse

travail sur les images j'm'en faisais l'traducteur est mon bagage hébété où s'embêtent les huiles le béton vomit ses lignes les arbres qu'imagine-t-il lit entend? la couleur du monde qui s'abat *aeros* : un vocabulaire obstinément obstiné pour un flot de sentiments vaincus qui c'est bien ça; que j'enfonce dans le cœur mien bien entendu le mien

---

1. Titre d'un poème de Patrice Delbourg, in *Rue Rêve,* nº 1, Montpellier (France), 1976.

2

à même ce nom de ville
(qui obstrue la bouche)
l'en éprouvai comme anatomie indécise
sans quadrillage sa glu
mais autour ils disent mais la santé
de cet espace dis-je que ce sang qui
bruisse les noms sur les murs
la ville j'y fonds
à même cette illustration en éprouvai
l'histoire du lent et même anonymat

*

si et si une certaine voix trouble
près des rues près des, rayée
qui se perd s'altère
donc si les tableaux dont les portions (on ne
peut supporter cette voix comme un trou)
où s'engloutissent lettres jambes et autres animaux du même genre ou vous quant à faire,
vos mille accidents c'est bien incorrect
il s'agit bien d'une lésion dans ce bleu
de l'œil qui digère (en fait : toute son histoire)

*

j'braque

ou usage un peu gauche de la matière, des colères des profils (pour éviter) ce que déforment mes yeux mes dominateurs de la douleur à chaque étape de l'exécution (: redevenue couleurs sans couleur), donc splendeur défigurée et peur de m'ébattre et cet affolement pour que je devienne brasse tenace : la volonté du paysage sous les yeux et l'usage de sa crudité

la matière dis-je exécutée à toute allure

3

à Eugène S.

travaille la lumière des nuits des villes tombe tombera déferlent
couleurs enfin de fin calmées j'y aspire au matin des arbres pissant
gris, spirales de tensions torses ficelés, et l'haleine des athlètes qui
mordent j'dis toute une surface étroite où mordre morphine et
sperme les ampoules et la drogue où agoniser sur l'ardoise
(le bleu de mon état d'esprit)

*

débris, quelque chose qui coupe bien les yeux
cette façon de fermer la ligne, doucement
la peur d'une façon légère j'note
(puis mauvais silence)
des organes des cagoules ou territoires glacés
en quelque sorte une cruauté qui remue
poussière toilette silhouette : pour la
rudesse des stries
j'note pour voir (scène sans suite – j'coupe)
et nous parlions de tableaux avec des voix
étranges et usées

*

le sentiment du lieu

voici ville fuis la ville sa collection d'organes car généreux et aban-
donnés sur les murs, et quand la fièvre affleure à la même lumière
et porte excessivement ses profils (ellipses) plus loin vocifère ou
vocabulle, quand pourquoi la douleur de mes empreintes plutôt que
cette seule pression sous le pinceau? j'ne m'y attendais pas :
petites chairs arrachées à un faible rêve

*

toute une agitation de blancs alors je m'ouvris la langue (couleurs floues) pour motifs des petits jours sous la meute des huiles disons sous les meurtres, alors toute une bouche à ingurgiter voire giclant, ou encore l'usage mortifère de mon anatomie sous les lumières viande crue, d'un tableau ma maladie générale retenait *ces* couleurs

*

d'une seule lancée :

de triturer cet espace l'exiguïté de la peinture
ramène mon corps (en morceaux, vous en voulez?)
un rythme sanglant de nous étonner :
le nombre du temps qu'il faut pour la mise en
œuvre à ceci près : fabrique d'la mort
l'œil en joue/les rues obscures
encore ceci : objets divers coupants glacés
ou cordes noirs fragments
un travail de sape que ni figures ni rebus
donne à la peinture nous atteignent
de plein yeux

bâille brutal j'dis s'ouvre : que des haltes de lumière comme ci comme ça sang retrouvé dans ces p'tits papiers (tissus)
membres torsadés/veines fragiles et floues
ça où fondent les organismes sous la roue, crachent crachent mais beau physique j'applique contre le béton
bâille boucherie par le terrible des traces ce peintre couvre les trajets
c'est inexorablement scalpel

*

par coups
par rythmes
qu'il peignait qu'il en fût coupé en une succession d'images (torpilleur) ville noire, après ce qui le happe après passions épinglées parce qu'un sentiment brusque (et entêté!) des événements sur ta, sur des choses qu'il peignait et pourtant tout un dur travail qui m'coupe *(torpino)*
pour les jours enragés d'la mort
puis de quel côté dois-je regarder?

*

le suspense des sentiments

un bruit blanc dont je la victime évite
le piège, une maladie d'amour
revois cette légère altération dans la pâte
efface ou affolant ciel bleu
c'est d'être pris dans un tableau et ses accidents
où faire tache ou lumière dedans

rongée par ces teintes angoisse des signes gommés
que je puisse être atteint jusqu'au sang blanc bis
la balle du regard

*

toute une scène de fond
(bien calé) inquiétante roule l'incendie de ce que tu nommes tache
ou cache, écran qu'inondent gisements brûlures, les liquides du sang
qui cendre sous les doigts (avec le cœur un peu lâche) sous le supplice du blanc envahit, et les flèches et les traits capturés c'est une
hémorragie : ça m'vomit sans voix sans organes bien décomposé
bien rare sang

comme dans un dernier sursaut avant d'en finir avec

petites œuvres discrètes et meurtrières justement
une collection d'actes muets qui vous prennent
(noms de rues sans bruit sans intervalle)
à la gorge au plus du plus fort qu'un long et même démembrement
de soi de ses formules glorieuses que l'on détourne (au cas où les
lieux hâtifs de nos rencontres) pour en raturer les lettres tiennent à
la violence agglomération de ses inscriptions ces lésions, fin fond
de ville analphabète : mon œil suspendu à ces meurtriers clins les
éprouvai comme une épreuve de force *(acting out)*

OPÉRA GLACÉ

dans la ville de la ville que tu peins est un désert que tu contrepei-
gnais ce quelque part très tendu c'est comme ça c'est mieux voir,
je l'ai vue de chair et de sang, de rouge dans un travail de la passion et toujours cette rage des graffiti qui m'attrape troupeaux
familles couteaux
(tu as dans les yeux le bleu qui m'manque pour ce tableau, spectateur bleuté par le filet froid du regard qui arrive coupé au tableau)
circulions bandés de noir parmi ces choses sanglantes multiples se
multipliant jusqu'à la tuerie

lentement a commencé puis maintenant jusqu'au plus délirant (on lira «Diffamations» à cet effet) liront leur sexualité accusatrice et les excréments commis à cette occasion tiennent à la peinture : le régime de la jouissance ils ne le supportent pas, comme lettres que brouille le rêve trouble l'affaire de ces lignes au cul
en fait est cicatrice très vivante des assassinés
comme traces que la mémoire coud à la bouche
sont ce tableau diffamant de sensations

*

sous les figures que c'est dans ces yeux brillants sombres cille le sens gît, j'l'attrape alors que ça bouge : un piège
la couleur qui vous saute dessus serait une manière de vous épingler (photos de famille) espèce de petit géniteur va! toujours ce spectacle opéra marchand
le regard alors se prend pour? comme? un insecte, dans les traits et le réseau est pour moi comme une trappe
il est trop tard : toile glacée sont les figures c'est sens glacés

*

p'tite misère
matière visqueuse des familles
le bleu opérateur et la mauvaise qualité de la ville
où comme ça les choses deviennent bêtes bien fractures
de la facture de la tenue, des pensées prennent à cette pellicule à cette toile que j'pique de citations dans les chambres (privées prisons voyons!) il y a une tension une sorte de suspense qui nous renvoit à la fiction, pure purée qui permerde ce réalisme émerveillé où s'endorment les assassinés des villes, crimes chrome des sentiments

1978

2

ACTION WRITING
1973-1985

L'EXTRAIT D'ELLE

voici que transite
des insectes plein les yeux
mousseline, nappe, récurrente au miroir
ranime ses images au sec
selon il est dit haut
avant de se replier dans l'envolée

*

longtemps caramelle
sans empreinte sinon la bouche
converse dans la dentelle
lèvres approximatives
et des croisements : clair niveau du sucre

*

légendes qui montent des sexes
sa contenue dans la buée
parce qu'elle papyruse
et message jusqu'à l'écaille
feuillette l'animal autour des points

*

lentement comme des lèvres
relit dans la transpiration
au vague la liqueur traduite
s'excuse des belles ponctuations
(des plumes à la soif)
pendant la sueur

*

ce brouillard fait parmi
les trous, ce bel air se referme
quand descendre aux gorges
aussi bien ses anneaux ponctués
et elle bue
(retouche sa mémoire force)

*

écumante mais dans ses plumes
pour la glisse de la taille
insiste peu à peu   sel
à la moindre encre pleure
ses yeux d'ailes

*

cigarette de nuit elle rentre
ni oiseau ni bleue
si ce bruit des volutes
au bout grille dans la roue
m'y roule sa peau

*

affective à qui neuve
à qui de ses hurlantes figures
comme volatise ses liquides
et familière plein les poitrines
(puisque quelques couleurs arrachées)

*

recompose extrême la cadence
(feinte voire éparpillée)
selon que l'horloge et glisse
elle au sommeil durant
puis le passage des sueurs

*

vent tenu, hautes heures
la nuit jusqu'à l'épaule
on pense à s'agripper de partout
l'ongle fleuri, le ventre attend
selon les parfums (le jardin recommence)

*

ses deux vérités d'orange
puisque d'habitude elle
elle parle à l'endroit des costumes
cette pelure sur le plus haut plateau
(puisse la doublure)

*

autour frotteuse et ses veloutés
repasse ses images la caresse
tant que la vitesse des veines
quatre vérités lissées à la taille
pour reprendre sa dimension sucrée

hiver 1973-
revu automne 1976

POSE, PORNO, PROSE

1

la table qui tombe ne retient plus la feuille, elle brûle dans tous les sens du mot au poignet (tu as le poignet facile!), VOYEZ-VOUS rien n'est meilleur qu'une et qu'une cigarette qui noircit un mot et les doigts, ici et là, en général je vois ce couteau qui tranche la page en deux, une peur donc de dévoiler ses dessous EN GRAND SOLDE AUJOURD'HUI, et ça glisse et ça rebondit mieux ou parfois, parce que l'odeur très forte du très souvent liquide qui tache la nappe (le drap pour la nappe et le drap aussi) jusqu'au pouce «Mais ne me renversez donc pas sur votre passage, ces manières, non?» il vaut mieux continuer, basculer de sa chaise les mains attachées à cette page (cette écriture pour la chair, cette page sauve-qui-peut), PRÉ-PAREZ-VOUS ET VERSEZ-MOI ENCORE ENTIÈREMENT DANS LA BOUCHE avant que tout se consume, s'évapore ou sèche simple-ment;

2

la rumeur circulait entre tes jambes, paroles motiles, NE CROYEZ PAS AU TEXTE PORNO puisqu'il s'agit de VOUS face à ce tableau qui cha-vire (sueurs ou océan de pleurs), que dans la nuit même tout fût peint, léché, slapslapslapslap des ongles à l'aine – la musculature et sa gym-nastique –, donc face à ce mur horrifié de tant de trafics d'yeux *mieux trempés* et hors-champ «Mais vous avec l'esprit tourné comme une page de Sade, lisez la censure» quoique VOUS murmuriez, le galbe de vos jambes (muscles pour muscles) me préoccupe autant que l'his-toire de la peinture, les faits consentant au spectacle qui tombe de plaisir, *ainsi dans un montage ça troue ça perfore et ça coupe* que l'on dit, toute une intimité frondeuse, frauduleuse, inédite et indécente (celle-ci serait-elle légale maintenant?)

3

il découvrit ainsi l'élasticité, le premier élément en palpant ses organes, rien là de très encore original alors que ça tire, ça gonfle, ça ohlala malgré lui, mais sert d'alibi à certaines perversions, *ce texte par exemple,* c'est écrit en bon français dans le va-et-vient quotidien (comme une... – voilà!), la qualité première donc de la peau étant de recueillir toutes les inflexions et réflexions à même le lit des connaissances et rencontres «Ce que vous dites est aberrant, ne donnez point spectacle si publiquement individuel» la connaissance venant, disons, de ce tour d'horizon (découvertes) jusqu'aux hanches, la rencontre par la drague c'est obscur et complice, c'est hasard «Tes couilles ou ton savoir m'importe» voilà de quoi il en retourne et VOUS sert par surcroît et plaisir, entre les doigts ce texte qui coule, plutôt une machination des sexes, c'est okay;

4

plus ou moins interdit, ce film VOUS surprenait, alors chatouillé-mouillé, alors la censure surprise sous les couvertures, chat malin, votre œil étonné dans la serrure et *hors de mon contrôle écrit* «Tant tu me serres tant je viens, bien collant bien gommé» il le dit, étant donné les gestes de passe-passe et imprévisibles, que le couple masculin posait dans la chaleur (xénons) derrière cet écran (comme une forêt de poils!) pour mieux voir À TRAVERS VOS YEUX ET TOUT EN SUEURS et sur cette page, ailleurs l'image pour le p'tit voyeur, tout ça est court ME DIREZ-VOUS, tout ça est court mais très masturbatoire.

LANGUE COUPANTE

(suivant que le texte porte poil ou
plume, nous rampons ou volons)
HÉLÈNE CIXOUS

1

corps multiple   (sous quelqu'angle qu'il)
par ses sexes et si possible
qui s'interpénètre   (les articulations
s'épaississent mauves comme des lettres)
«la surface se dresse prononcée»
les chocs des vecteurs   les lieux tendus vers

le jeu des décharges
dans la langue qui durcit durcit

2

espace clivé   tout ce foutre
dans un miroir (grand comme la bouche)
la circulation très très translucide
mais mais laiteuse   fouettée)
«les images s'arc-boutent concentrées»
et tout converge vers

les sens de l'épiderme coulent
entre les dents

3

spectacle double   croque en gorge
(c'est une fleur ventouse) portant
pourtant ce membre
entre rouge et lèvres
«s'entrouvrent licencieux le discours»
d'où des trous mouillés

fèces et sang qu'aspire et suce
la scène

4

langue ou sperme   s'allument
dans les bruits (armes) et
les décors noués aux poils
(nœud : le théâtre s'épuise par ses salves)
«le langage du corps file...»
la matière change   la chimie inscrite
dans le mouvement des salives
et de la foule (applaudie)

les motifs gourmands de l'érection
(dure comme une bataille)

5

verbe nié   couteau qui châtre
l'afflux du sang dans le travail
dérobe au ventre ses images
il distribue   livre   simule
différentes manœuvres
«le physique perméable de la grammaire»
les cuisses *opérées*   aines *gommées*
par la langue qui coupe

l'activité pointue surprend
comme un dialogue béant

6

délit   diverses pilosités (pli sur pli)
que déclenche la langue   l'acteur
sa pulsion   les circuits comestibles et
l'espace de la lutte tissé de sexes
«alors donc l'écriture enfin enfilée»
de part en part   de nos époques saigne
(tressé) un code   sans arrêt

LA MATIÈRE BRÛLE (communcul)
par l'attentat humide qui foisonne

RÉCURRENTE À PLEIN TEMPS

1.1

gît lente contre les oranges
puis de forme régulière
au goût muet muet et elle
mouillée et pivote au paysage
    (sa consonne souveraine)
ravir et jute alors

1.2

la folie du ventre qu'elle lit
partant le déluge de ses lampes
livrée d'   ne roule autour
(étale visible et volée et très)
(comme un œuf ses seins s'évanouis-)
ouvre tellement les angles

1.3

ventre ce jus comble
c'est louve sans ombre ni miroir
(que cet astre qui cambre)
et comme un fruit ses ovaires
sa chute muscle
(technique de la fourrure renversée)

1.4

fouille et fièvre dans la bouche
noyée sous le chiffre ouvert
elle ou vague ou va
circuler entre ses âges pleins
mais ses rouges qui écrivent
   (comme une éponge vide)

2.1

c'est actrice et d'elle même
      (la séance de sa peau)
se déplie comme inexorable par ce
parce que extradite sa nudité
– un dispositif inattendu –
ses jambes délitent une scène double

2.2

quand et qu'elle s'écarte
le rythme des poils –
– la puissance du jet
agite mais dans les décors
une panoplie de langues
(puis son sexe projeté de sucre)

2.3

un tableau sans cesse déplacé
huile à l'endroit du spectacle
quelque chose du glissant
mais retournée la divertissante
mes très secrets
mêmes fragments de ses reins

2.4

autant dure de coquillage
dans enveloppée en ses lotions
(introduire pour dresser d'   )
piqûre capture cautérise[1]
alors par en arrière ses lèvres têtues
(une odeur de siamoise endolorie)

3.1

change n'équilibre
l'inondation de ses dessins
et six mains ajustant le sens
tôt s'écoule d'elle
la robe de sa langue répandue
puis dévoile sa crue sans limites

---

1. ça couture

3.2

de vue brève mais versée
par la taille se trame
qu'une collection de figures
(prestes ou de hanches identiques)
prestiges de la langue
et qu'elle culbute dans les champs

3.3

qu'elle claque des seins
puis contre le discours perméable
entre entre dans la canicule[2]
accidentelle par ses gorges
(qu'   boit blanche et)
autant entêtée de cicatrices

3.4

où mouvements ou ailes
souplement tant animés
cette langue qui fond
que force le sexe très ému
(ou très lent comme ses menthes)
ce qu'une lutte oblige mauve

_____

2. ou : dans la saison de cannelle

4.1

dans distante qui tire les rideaux
projette ses lames
longuement l'enroulante
et l'appareil qui décante
(propulsée ou les démesures)
puisque les chocs la renouent

4.2

aboie jusqu'au sourire
mais qu'enrhume la roue
(son alphabet douloureux)
elle vire sans tain
et dérouler la bataille
les armes de son sexe qui déteint

4.3

exhibe son sexe propice
          (ou tel quel)
toute une zone intoxiquée
risque ses blessures fatiguées
(lutte soulignée son extraplaisir)
mais le sommeil maquillé entre les yeux

4.4

si touchante en son eau
ce qu'on sexe déjà d'   et d'elle
(du sang sur toute terre tremble)
mouillée dur contre la terreur
la jouissance par le poignard découpée
donc ses caillots me resserrent

EN QUELQUE SORTE PAINTING IN ACTION

1

ce qui suit, pris dans cette odeur verte, bleue (ou italienne) d'images prises : c'est dans la brièveté de leurs corps qu'ils se tenaient dans un style parfait, dans une de leurs nombreuses poses, traçons alors tout, du dessin nécessaire à l'or ouvert, ils disposent des passions dans un tableau sont tombés.

2

car et car en appuyant ma cigarette sur chaque couleur, en connaissance de lignes (peut-être vicieux dans les interstices) d'un tableau à l'autre comme une jambe, d'un saut que dis-je de ses fentes ses lèvres : c'est un lisse dans sa poussée car ses poils m'entourent

3

rien que ce grave dans la toile

à la vitesse de la sueur : l'œil dans la bouche il avance (je voudrais bien que politiquement : chasses, et la poitrine lentement), engage chacun de ses sexes, l'air de toucher ou de calculer (cumuls) car voir clair chauffé à blanc dans sa stratégie puis dans l'abondance des corps (*tir* : relance à toute vitesse)

4

organigrammes, repiquages, regards quand heurtant
le genou (jusqu'à l'explosion) quand je trace la
soie des peaux, des aisselles
bien fesses calculées
quand j'organise le corps fourré moka
(action/café) ou
mais où sont ces liqueurs curieuses sous le pinceau?

5

(toile de fond) quand dans la bouche tout est si
mais les fesses qu'elle fait
je tendis sa sh, son chas ou de chatte
qui lui capite très bien : comme une peinture
délivre ses animaux sur un certain tissu de m'inspirer
bien raide

6

crema (et pour ce genre de travaux)
indiquai en toute direction mon
péristaltique, mon
(sa chair jappa)
donc quand je feu de chasse l'histoire
feu garant, fusil pressionne
ce corps crétale jusqu'aux couleurs :
suture, trace et fracture pour ainsi dire

7

l'un dessinera l'autre

autour, parce que les mots à gauche (grappes d'abeilles, ça clape, ça craque – la lapée) et je pensant ouvertement sous l'étoffe, dans les boucles autour, je dessine sexes, peaux qui fuient longtemps, je comment dans la voix des couleurs?

8

par, parcourant le livre *La Peinture, la poésie* pendant que le bleu rompu aux digues, au large de l'orage, pieds dans l'eau, je lui drisse et drigue pensant à sa voix dans les lignes, devinés ses caillots, ses cascades, donc le bleu tombant rompant à la mer bien, je me tais (bouche moteur) car à la vitesse où vont les sueurs
(Motherwell)

9

m'étant coupé la main je parlai de peinture, ce corps de baigneuse, raie profonde, mais les perspectives d'abord : toutes les fois qu'il me traverse car maquillé ou érotique, remuant certaines lignes de conduite, corps coupé à la lumière, j'entame la mer à me percer jusqu'au fond des yeux, j'entame ininterrompu, elle me versa dans la bouche

10

de jeu de rouge

passage de nuit – dernier trait – elle dispose à mes côtés mes côtés
sa poitrine aménagée : sa son signe édifiant (assez) et pris dans ce
lapsus : départ de l'image propose quelque organe de coutume ou
de fourrure au premier plan de l'illustré, ce solide capitonnage (ce
rêve décousu) (le tableau crépu)

11

de ce tableau il convient
selon lequel la plus lisse
la plus lentement
de son bleu moi (respiration répandue)
elle vise, vient de traverser
ce registre
montre son champ sans pareil
ébouriffée contrôler sa végétation
(et une journalière retourne dans
l'or son sexe avantagé)

12

circa circon
les pinceaux comme des
puis leurs langues concèdent aux couleurs
(mais la projetée, la pluie fine
au centre de la figure)
ses fruits joyeux
est une toile humide, au gourmand
que je suis dans les raies
circonstances d'atomes elle y échange son sexe

R

1

pis le deuxième courba on chuchotait
aux murs, dans nos vêtements effrités
tour à tour, au moment où nos sexes se cr-
(métaphores, plis) où le film suait nos
rêves en nous : «Je vous filme donc je
vous vole[1]» quelques mouvements qui
se brisaient s'opéra l'été des Indiens
il m'offrit et tu t'éparpillotais
deuxième, glissements colères parfois
les coups familiers et les règles simul-
tanément (LE TEXTE DÉTÉRIORÉ) pendant que
l'écran qu'un disque italien m'échantrait
erre ma langue notoire ainsi l'as-tu voulu
sur tous mes organes qui t'attendaient
sur toute la pellicule

2

tremblement des événements sur ton
ventre? ou dans toute ta mémoire?
ainsi l'as-tu su, greffes bien difficiles
volutes

---

1. J.-L. G. dans cette béance : jouissure

ainsi m'as-tu montré toutes tes peaux
signes contre ma poitrine immenses
(car ses yeux) aucune honte à (décider
des déclics, des clichés)
la demande d'actives car je savais comment
il touchait aux objets quant la nuit était
courte, faire le beau : il détendait sa
(il n'oublie pas la misère il écrit)

3

à la fenêtre ça glissait
au cadran du corps, les taches dans
l'octobrement et le vivace, il prenait
les éclats
c.-à-d. ce genre de choses qu'il était beau
à faire crier, le va-et-vient dans le réseau
des petites raisons
de vivre
le besoin jusque dans ses anneaux (devinez
les ouvertures j'y ai mis le doigt)
il me tirait satisfait ou séduricteur
les lettres leurs taches érogènes dans
le décor, je les épelais pour leur semblautre
et pour en changer l'orthographe

4

de bien dire le coulant le flasglace, les appa-
reils de toutes parts il en était flatté
(mais flatrassé de ce que les voix)
(de ce que le sang du vert) et il trimait

avec culère, n'était et n'avait été que (il
détourne à bon droit le matin sous les draps
où il froissonne)
petite joie au bout? du gland? ses effets
inouïs, présents donc à ce qu'il
touchait, il écrivit

           (vingt plumes sous la
           coulée neige confuse
           son sorbier) la leçon

de poésie : lectures
pour ne jamais se perdre

5

goûtait les petits mots cependant que les
matières le découpaient, oreille tournée
pour voir écouter : une lotta continua

           (perché la reppresentazione è
           deformazione, un dellito, per le
           trace, passagio, vaganda allora)

(ce léger goût d'italien il en a profité)
bon alors les cheveux qu'il soulevait
pendant ce temps il pillait les textes (le
texte changeait de teint) les connivences
(R souleva ses cheveux : tristesse de ses
yeux, de sa langue et de l'heure)
il voulait les posséder en répétant leurs corps

je dis les machines dans le texte
le corps dans ses indices notoires

LE SENTIMENT DU LIEU 2

pour François Charron

Au fond de la peinture, il y a la pensée.

1

On dira ici l'importance du temps, sa constellation quand moi je vibre dans l'espace de cette peinture, temps qui toujours change de couleur sans m'avertir, temps qui croque et gruge mon temps comme un petit animal futé. Je dirai aussi ce temps me coupant en deux pour que je puisse regarder ce tableau qui exhibe ses fruits et ses organes. Il ne s'agit vraiment ici que d'une question de tension et de compression quand on sait que par cette fenêtre qu'est la toile peinte où ne viendra jamais se poser l'oiseau, par cette ouverture indiscrète comme une chambre parentale, que c'est la mort qui s'y joue, travaille la chair des couleurs, qui moud les images en fantasmes, oui il s'agit bien de la mort comme une énergie folle à laquelle on succombe. Il faut préciser aussi que la mort n'a pas de modèle, seule comme moi seul, elle est la misère du temps.

2

Maintenant, ici, toujours, ailleurs, oui le temps qui continue malgré tout au hasard de la main qui trace et dessine, triture et lisse, ce temps qui m'accompagne inexorablement, que me laisse-t-il en

169

guise de mémoire? Je répondrais : rien. C'est si peu rien. Vaut mieux alors noter comme je le note le climat de ce tableau, le climat, c'est-à-dire : la chaleur, le tremblement des feuilles dans l'air pesant, l'Italie, la surface humide et transparente de toute chose. Et dans cette ville qui apparaît comme une accumulation de corps aux formes curieuses, on peut lire le climat. Lire est si peu de poids quand on connaît la furie citadine, mais ce si peu, on le devinera, est le climat. Mais que cache soudain cette buée des couleurs, quel regard empêche-t-elle de s'ouvrir? Le temps file et je ne le vois pas.

3

Je dirai qu'avant d'entrer dans un tableau il faut se laver les yeux, non par propreté mais parce qu'il s'agit bien de moi que je regarderai dans ce miroir sans voix, dans cet œil qui me scrutera silencieusement, sans m'appeler toutefois, sans me reconnaître. Là, dans ce rectangle, je sais que c'est moi jusque dans mes excès les plus intimes, les plus inconnus, qui imprègne l'encre, la gouache, l'huile, moi squelettique, toute chair étoilée, que le tableau pointe du doigt, là je suis découpé, dépecé. Que dire alors de mieux que d'affirmer : le tableau est un tombeau.

4

> *Tout félin est bleu.*
> JEAN-FRANÇOIS LYOTARD

Si je peignais, quelle couleur choisirais-je? Dans mon plus indéfectible intérêt, j'adopterais le bleu, ses belles allures, ses très belles apparences, son glacis et sa froideur. Toute scène sexuelle peinte jusque dans ses détails les plus scabreux et les plus colorés tient à cette couleur. Incontournable alors puisque je dis : bleu jouissance, bleu libido. Oui le bleu inquiet qui fait revenir en surface le fond sexuel de toute chose. Je le prendrai donc en charge car il *nous* travaille, car, je le répète, il est l'aveuglante sexualité qui nous hante et nous glace; il me lie au réel, j'y suis noué à tout jamais, ficelé dans ce bleu de fin du monde qui nous enfonce dans son horreur : sa terrible destinée. Étonnante perversion de cette couleur qui en met plein la vue, bleu pornographe qui me blesse, me traverse et me bande, car je sais aussi qu'il m'habite comme une maladie d'amour. Couleur fantasme, couleur philosophie. Je l'adopterais pour sa limpidité si chargée et elle deviendra alors la couleur muette de mes rêves. Là je dirai bleu à la fourrure, bleu à la peau, bleu à l'érotisme, bleu au corps. Quand je l'affirme, je sais bien que je mourrai dans Ton œil à tout jamais bleu, Dieu.

5

Je parlai du bleu qui a suspendu son vol, couleur vivante tout de même. Cieux. Puis je respirai mal : diaphragme bloqué, luette arrachée. Tout regard a été coupé puisque tout n'était ici, très bas, que lésions et déchirures, cela a craqué et cela s'est brisé. Dans la belle unanimité du bleu, si éloquente alors, dans l'antique parenté, et qui s'est effondrée, où en sera maintenant l'histoire du fleuve, de la sexualité, de Toi? Bleu qui m'empêche de Te voir puisque je T'ai aimé. Est mouvements torsadés des corps : pour spirale et trou de la jouissance. J'ai maintenant, ici-bas, cette voix sans parole, cette vue sans regard, cette couleur m'aurait rayé de l'histoire. Bleu accident? Bleu noir?

6

Le béton vomit sa lourdeur, ses lignes rigides. Toutes les vitres éclatent; l'asphalte se soulève; les arbres sont déracinés par la tempête. De quoi s'agit-il ici? De cette ville que j'examine, scrute. Je vois les huiles se tordre, les couleurs se déchirer puisqu'il s'agit d'une cité qui se pulvérise. Mais on ne sait pas d'où vient l'explosion; la ville serait l'explosion même. Quel désir d'anéantissement dans ces matières colorées, les giclées, les coulées? Je regarde, étonné, ces images qui tonnent, se bousculent, détruisent et s'entre-tuent. La ville que j'aime, dans ce tableau m'est insupportable. Torture, épouvante.

7

Je dirai l'espace de cette peinture qui colle à moi comme de la glu, obstrue mes pores, ma vue et, surtout, mon nom. Je n'ai plus de bouche pour cet espace, son anatomie et ses folies. Plus rien de mobile ne circule, tout s'est comme naturellement arrêté; il y a du solide et de l'opaque : espace bazar, espace dépotoir. Le temps se serait donc immobilisé par la force d'inertie de l'illustration même : objets, détritus, choses quasi mortes qui s'accumulent de plus en plus. Ah! espace béton, espace mur! J'en suis confondu, – aveuglé par cet espace devenu anonyme.

8

Ça travaille, la lumière, je l'aime, celle des nuits de la ville, de tout ce qui coule, déferle, court, ça tremble et ça excite. Je répète : spirales, torsions; vitesses, multiplications. Regarde ce tableau d'une cité qui bouge, sa crudité, sa volonté de se tenir debout et d'être civilisée, sa splendeur et sa déchéance qui rendent les couleurs éclatantes mais douloureuses tant elles sont celles de la froideur et de la colère d'une fin du monde. Ville qui tombe, tombera si je ne la regardais pas à toute allure comme dans un faible rêve. Mon œil a intérêt à ce qu'elle montre sa puissance et son agonie. La peinture n'est pas un rêve inutile.

9

Objets, organes, animaux et corps; ils s'engloutissent dans ce tableau, poubelle pour les déchets de notre histoire. Peinture cruelle, crierais-je. Voici les murs qui nous abandonnent, voici les portes qui ne s'ouvrent plus, ou si elles s'ouvrent, elles donnent sur l'horreur. Peinture barbelée. Silence et vide sur cette toile où tout s'est échoué, s'est écroulé, et qui ne forme plus qu'une masse lourde, grotesque, noire d'animaux cuits, de corps brûlés. Tableau à l'image du monde qui va au dépotoir, au crématoire. Tout est tombé dans l'horreur. Oui, j'aurai pour cette peinture une voix étrange, usée par le désespoir, je la répéterai jusqu'à ne plus parler.

10

J'évoquerai aussi, pour parler de peinture, le blanc, de son agitation sur la toile, de son air qui vibre, tourne, circule entre les couleurs, traverse toute la lumière et rafraîchit le regard. Blanc serait une halte dans le tableau, sa pose assurée, son attention philosophique. Blanc pour le lent travail du silence, joyeux; blanc pour les jours sages et la pensée qui sommeille. On pourra indiquer dans cette pâte le temps qui s'efface et l'espace sans suspense. Pour quelques heures. Aération, légèreté. Couleur langueur, couleur mélancolie. Blanc n'est pas supplice, mais bruit qui s'atténue, violence qui se désagrège. Blanc mobile ou libre circulation d'atomes; vois combien il est l'ordre de la représentation, le prestige de la réflexion posée, l'enfance même de l'art. Évanescent et liquide, il est économique. Mais serait-il absence de désir? Car il ne faut pas oublier que le blanc est aussi analphabète, naïf et, peut-être, irresponsable. Oh! blanc inconscient!

Je dirai donc pour finir, que la ville que tu peins dans la ville que tu peignais, il y a quelque chose de très tendu. Chair, sang, eaux, couleurs rouges; je vois bien que tu y dessines des passions, je m'en assure par cette rage que tu as de saisir cette ville. J'ai dit : tension. J'ajouterai, qu'ici, tout est ciseaux, couteaux; boucheries, tueries. Voilà la violence des agglomérations, l'agrégat de la folie. Accumulations, multiplications. Pierres, béton; foules, fous. Je sais que par ce tableau tu as tenté d'apprendre la qualité(?) de la ville, sa fiction sanglante, le chrome de ses sentiments. *Space opera* ou opéra glacé? À quoi tient-elle dans ta peinture. À l'assassinat et au crime. Voilà pour toi ce qu'elle est, moi qui l'aime tant. Voilà, je le dis, un jour la ville te sautera dessus et te tuera, voilà.

A.M.

à Alain Fr.
et Marie-Hélène Dh.

1

Ma forme   devant la porte
                    j'entre, propre
multiple
comme la beauté et le souvenir.

Derrière la porte tu penses;

2

Le matin mousseux
quand le type, affectueux
il m'oublie, n'oublie pas.

Parfois le matin, tout comme, tôt
la pluie pour être ensemble;

et le matin, magique, qualités recommencées.

3

Maintenant, c'est la faim et l'heure
entre nous, matin roux;

lit vivant,
cuisses bonnes à tout faire.

Pour nous, la faim capricieuse
l'heure où on capitule.

4

Puisque ce matin
je demande, vieilli
      déchiré :

«Que le matin ne nous
éprouve pas trop.»

Drames
petits, tassés?
quand dans vouloir
être heureux;

5

Les odeurs
      à la volée
indécentes;

je pose des questions
aller plus loin.

Plus loin, volubile, avec
mes odeurs qui interrogent.

6

Dans la chambre, après la nuit
les petites dépenses
      la conversation alitée.

Et après, la chambre, les petites
anecdotes.

La porosité de toute fin;

LE STYLE DU CORPS

1

Ou bien j'aurai les cuisses excessives qui roulent de bonté mais aussi de perversion, qui s'agglutinent à toi, qui, selon les formes et les demandes, changent de couleur; la chaîne de chaleur. Peau de pêche ou de péché et le vœu d'être étonné et partout dans tes pensées, tes sciences et tes bijoux. Ainsi je me maîtrise et suis tendre : en découlent les devoirs de l'impudique.

Ou bien, si tu veux, voici des cuisses majuscules, il faut que tu sois audacieux, majestueux, je m'y emploie avec les meilleures huiles et mes langues les plus chères aussi. Aussi mes désirs comme des oranges, je suis le gastronome des plaisirs. Je serai le responsable de mes baisers nécessaires, toujours, je veux qu'ils soient plus que sympathiques : superbes.

Je l'avouerai : la complicité m'a toujours fait plaisir. Oui, parfois, la vie est douce comme.

2

Les muscles, les muscles, tressaille-t-il, c'est beau, c'est orgueilleux, voilà que je deviens confus, la nuit vient de passer avec ses volontés et ses souffles, ses douceurs de corps vivant, je suis maintenant encore amoureux. Je penserai à ton sexe comme d'un spectacle, comme de la musique du samedi soir, multiples yeux. Pour les besoins de la cause, je vais me replacer les désirs et compter les adjectifs que je t'ai donnés durant la nuit parce que les scrupules.

Poils, poils, qu'il me suffise de confier que tu es pudique, timide, avec des peurs maquillées, des sueurs luxueuses, les indiscrétions de ton style; tes organes comme des airs d'opéra, tu es pourtant audacieux, je t'entends bien dans la clarté des caresses, au centre des séductions. Ajoutons : jouissances bavardes.

La musique heureuse, tu m'as dit, le plaisir professionnel, as-tu ajouté.

3

Je lis, lirai dans tes pensées et sur ton ventre, pour celui qui revient après la nuit et les rêves habituels, je corrigerai certains bruits de mon corps pour être honnête, présentable et doux comme. Les goûts différents à côté de moi. Depuis des heures mon anatomie toujours renouvelable et le désir agité, mais hier, il est vrai, j'ai grelotté et ai perdu une partie de mes charmes.

Voici mes efforts moraux, ma tendresse instruite, on me surprendra encore comme *un espion dans la maison de l'amour* et je me souviendrai de tous les sexes, de leur infinie variété, alors je me ressouviendrai des plaisirs compétents et mal élevés, des gentillesses très (trop?) propres et, aussi, étonné, des violences inconnues. Je me reconnaîtrai par mes inventions, les chairs et la bile, avec un rien coupable, un rien heureux – avec un peu d'angoisse capable.

4

Quand dans les décors et les lumières, le désir ruisselle depuis tes lèvres, quand de ma langue je voudrais devenir le propriétaire de ce désir entr'aperçu : cette fatalité d'aimer qui me ronge. Ronge, et ce, à un rythme gourmand.

Quand tout tourne, celui-ci n'attend pas l'autre, refaire l'amour avant le petit déjeuner, c'est humide, mais c'est si terrible et déplacé.

Je n'oublierai pas la place des liquides des autres (ni les vêtements luisants), tes jus : c'est le baptême de mon célibat.

Ma langue dans ta bouche devient un privilège, je continuerai le rythme, voici mes bonnes obsessions, mes caresses et mes faims : je me propose comme nouvelles et jeunes nourritures. Mange-moi, j'ai le corps propre, un peu fruité ici.

5

Vif et coups de langue, le goût comme un cadeau quand il s'agit d'art, de savoir et d'adresse, de prendre son plaisir partout, comme ça, provocant, tous les pénis me tentent. Dans les draps : de nouveau complices, les rieuses saveurs. Et là, diffuses, ma patience et mes sueurs quand j'essaie de me justifier d'un baiser même, sans opinion, même convenable, car l'intelligence est toujours concevable malgré l'impropriété des lieux; je suis d'une autre époque.

Parfois sur ta poitrine, concerné, jusqu'à chercher l'écume ou la crème, la mer est variée, me confies-tu ce matin, toute une stupéfiante circulation des langues; ces dents sur le rose; le plan du liquide entre les jambes; tu es généreux dans mes poils; j'ouvre la bouche aux meilleures humeurs.

Un peu de sperme (mais si peu!), et pour les besoins de la passion, je lui donne toutes les qualités : délicat, doux, coloré. Je l'ai déjà dit : c'est un baptême. Soupirs garnis d'audace, souvenirs parfumés. Oui, ton corps souple, soutenu avec le réseau de vaseline, un corps que tu me passes, innombrable comme un emblème. Je te l'avais dit : tes liquides ont du style.

Et je suis inépuisable.

LA DÉESSE «H»

LE BLOND DE NEW YORK

À l'esseulé d'hier, de la vieille heure
alors que sa chair a suivi le comédien,
vu qu'il n'est apparu qu'un jean léger
en cadeau jusqu'aux genoux et une bague de New York, s'en est allé par les parcs. Or
qu'aimions-nous sans peine que ce fût là
(gris un peu) le premier alphabet dans la
main longtemps, attendant d'être délivré sous
les arbres où les silences allumaient mécani-
quement et le feuillage et la caresse? Puis
moi moi – et puis un autre de content désir qui se lève, c'est ainsi dru entre les
jambes, la prose du blond tandis qu'il était
affairé – il me sembla que ses yeux re-
trouvèrent là une certaine frayeur de cette fin de
siècle, de mous vampires que, dans l'ombre, il
rendît contemporains sans jouir. Ainsi avec
une joie docile, presque passe-partout,
il s'est allégé de sperme à tous promis plus
d'une fois par semaine sans moi.

SON NOM DE JASMIN DANS...

Et moi encore, le délicat, la voix pressée
sous le mouillé de l'heure de cet août mil
neuf cent quatre-vingt-un, celui qui
ralentit en autant que ses yeux à la mode,
sur fond d'oubli de la famille qu'il a vomie en
quittant Québec où l'ennui est aussi sûr
que la neige, les sûrs catéchismes des diman-
ches de neige, celui-ci, l'exacte fiction qui
fait bander – *Peau de prose*. Presque mon
âge, son beau nom de Jasmin savait redonner
cœur au damné des fugaces – soupirs,
touchers, goûts des lèvres dans la voix encore bleue des
feuilles, la hâte et le blanc mot sous la dent,
jamais je ne pensais que ce soir à (puisque la musique carnage de la veille rue
Sainte-Catherine) genoux, j'avalerais sa semence.

À NOUVEAU, LES BUISSONS

Donc ici, dans les buissons, si à moitié
dévêtu tomber amoureux pour un instant, dans
peut-être ce mille fois geste recommencé
(oui, sans lui, saurais-je qui j'aime?), peu pieux,
la dîme muette que nous volons au scandale de
tous, même en plein jour puisque, infiniment,
à la publique obsession nous ne croyons plus, geste aux deux endroits voulus (l'un presque nu,
l'autre si), ainsi d'épargner encore ma vieil-
lesse prochaine afin que j'écrive sous les éra-
bles bénis, avant septembre jaune, à nouveau :
Ici dans les buissons, sûrement vêtu, tu a-

MATIN AUX GENOUX

Toute la nuit, nous entraînés par
la musique, envagués même à la
possible orange des lèvres, baisers
fripés dans, ainsi fatiguées, nos che-
mises, encore sous l'accord de l'alcool,
avec promesses plus qu'avant, surtout à
trois heures écoutées en se donnant
l'éternel amour quand la lumière
remontait déjà aux genoux : poissons
du matin aux yeux citronnés.

PREMIÈRE FOIS VIOLETTE

... and, au détour du chemin, quand, traquée sa violette adolescence, le fossé, les
herbes, son jean que mes doigts tripotaient,
lorsque dans la tiède bataille, sa salive
à la mienne scellée, j'éjaculai et bas-
culai du côté des oubliés, lui, des coupables,
sans chagrins meilleurs mais de mémoire dé-
colorée.

182

LE DRAGUEUR SURRÉALISTE
T.G.V.[1]

1

Du rêve froid
c'est je dirai : Le plat élégant,
la verge italienne, c'est par les jardins
que je me suis échappé.
Secondo je répète : La confusion des sens,
la confession des linges pour qui n'est pas
ange brun, rose, blond ou tout en bas;
le cœur nage dans son liquide
sinon dans ses langes,
dans l'autre lit de son apprentissage,
la drague avec ses dragées jusqu'au cul
peut être peut-être, sa drague
qui ne veut pas d'accidents, ce serait pas voulu,
c'est pendant la volonté de savoir
qu'entre mes dents tu me suces,
que sur mon ventre, ça glisse,
le sperme écritoire, le sperme
c'est des blancs et il se veut oculaire,
écriture salive, l'organe cuiller.
Toute l'âme répétée dans ce bout de chair,
je l'ai comestible et je le dis :
Il possède une âme combustion,
encre dragon, le spectre blanc;
parfois l'âme s'échappe par ses lèvres
et parfois le cul par ses lèvres m'échappe.

---

1. Texte à grande vitesse.

2

La sortie du bienheureux, celle du dragonneux
dans les bars, il traîne, draine ou
avec ses dards et ses flèches quand je le regarde.
«Je suis le dragueur des dieux» quand je dis
que ta jambe gauche m'émeut et
je m'envole dans les délais prévus,
car l'odeur viendra plus tard, car les fesses
vivantes comme l'alcool;
la nudité point si bien nommée naïve au futur,
nudité prise et désapprise
jusqu'à tes poils possibles dans mes larmes
(qui seront narguillées)
seront déshabillés dans ma main gauche;
«Nudité point fumée», et je me rappellerai
la cigarette après l'amour, la cigarette
gratis derrière les paravents où
seront prévues tes queues nabuchodonosor
qui ragent et qui nagent dans leurs larmes,
qui rament comme des ogres,
bénies entre toutes les jambes,
queues pas vierges mais trempes et arabes
qui durcissent d'urgence mais qui sourient
comme Dieu (quand Il voit un cul drakkar).
Je regarde un cul gratuit reprenant ses droits,
ses promesses dans le premier bar de l'ange bleu.

3

Le deuxième trou qui mérite ma visite
quand par le détour du parc, là où
la communication n'est plus mon fort,
cinéma par le bas, corps par le haut,
moitié-moitié pour l'organe qui déparle,
anus oublié sur l'herbe, rose simple
de ton ventre qui se retourne en bâillant
deviennent un certain nombre de raisons.
Pense rare, pense par petits trous
d'où ruissellent les liqueurs, pense
sport entre les dents, que tu es original
quelque part dans mes poèmes, pense
que ça ne tourne pas comme une théorie par le milieu.
Le deuxième bar où je t'aime tout seul,
les yeux quand je bois
ou les cieux quand je chois,
bières disponibles et équilibre célibataire;
je m'étale dans mon jean et je m'étends
sur la joyeuse responsabilité de ses formes,
une par surprise, une autre par compétence,
les pensées que tu mérites bien ou
le petit animal de travers qui fait «Hein!»,
qui fait bien gentil sur le côté.
Pense changer de peau pour visiter un autre lit,
un lit par idée, deux par image.

4

Les décors de l'expérience, de la drague tue
c'est la chambre à une heure du matin,
l'heure trafic qui suit ta bouche
jusqu'à passer ta queue sur le chat,
charabia des poils prolongé dans les draps,
fièvre encore étroite, rébus de la caresse
au moment où rien ne s'explique :
le paysage, l'invention, la folie du milieu
par un beau matin ramassé en bandelettes
et collé aux fesses. Le caleçon serait
un instrument de musique, mais ah! les mots se froissent
mais la voix revient toujours vers le centre, et
je pourrais dire : La sincérité est le mensonge
de la séduction, ou : La vérité est une expression
insincère par rapport au regard, ah!
L'expérience des odeurs, du sperme nu
c'est le matin compétent dans la chambre où je compte
sur l'animal sodomite et les masturbations enveloppées
jusqu'au moment où ta bouche saura diriger
mon regard sur les accidents
de la mélancolie, nostalgie sur le mur
et chatoiement des mots. Ton caleçon a
du style, tes anus, des idéaux flatteurs
comme une théorie toute molle; la poésie
reviendra coucher au centre de mon lit, ah!

5

Alors que vitement, selon les circonstances
et les couleurs, je lui dis :
«Ton âme a de petites oreilles qui écoutent
mes efforts.» Ou encore : «La vie est en couleur
mais la réalité en noir et blanc.» Et toujours vite,
selon le contour et les figures, je dis :
«Un ange bande, c'est la parfaite preuve
que Dieu attend derrière tes fesses, que l'imagination
est moins politique que l'on ne croit, que voici
mon cul qui priera tout à l'heure à gauche.»
Ou, si tu veux encore, ceci : «Chaque fois
que je t'examine la vie n'obéit plus aux faits,
chaque fois le poids du monde se retrouve
à l'autre bout de la pièce, et je pénètre
avec la même odeur indienne dans ta bouche.»
Je note pour toi la formule chaude, les carrés mous
dans ton pantalon, les gâteaux que tu manges
assis sur le quotidien d'époque, les bagues
que tu retires avant de me parler, les organes
devenus écriture aux pattes de chat. «Vite, vite,
vite, viens sans bouder dans ma bouche, dans mon cou
souffle sans faute et, sans honte, suis ta langue
sur mes fesses sûres, avec l'impression que c'est du cinéma,
que ce sont les cartes de la nuit et les vacances du texte,
pendant que tu gardes ton âme dans une boîte en couleur.»

6

Il paraît que tu continues de vivre avec les autres,
que, parfaitement, c'est un luxe comme la musique,
un texte infatigable d'appétit (tous les muscles
possibles et impossibles de la vie moderne) sur les murs
de la chambre, disons la chambre du blessé avec
ses souffrances suspendues au plafond; il paraît clair
et bandé que la chambre a une histoire («Remarquez
les émotions à travers la serrure»), une mer et
un ciel comme organes; les mots se répandent et
coulent à jeun sous le lit. Repos nu, repas endormi.
Il paraît que tu as les mains pleines de curiosités,
de sucres blonds que tu lèches, que les rêves entre
les doigts sont une plaie molle mais que les goûts respirent
(la chambre pliée en quatre sous le bras comme un chat),
que tu as des odeurs et des douleurs pour tous les jours,
une drague qui pleure aux moments ronds et bouclés
(et des îlots d'idées de chaque côté du corps).
Disons alors que le ciel répète les même phrases,
se veut peau lisible et interminable, chair efficace
aux couleurs préférées (le bruit des étoiles, les bruits
dans le pantalon sont croquants) quand la musique
te regarde parfaitement avec tes érections confidences,
érections conséquences. (Il paraît que tu partages
l'écriture-écriture en mangeant des petits œufs
au lit.)

7

Il y aurait vingt-quatre amours comme il y aurait
vingt-quatre heures, cela se cache sous le lit
et fait du bruit, le ciel monte et la paix
du paysage descend entre tes poils, c'est
comme la forêt qui apparaît et disparaît
dans les secrets de chaque saison, ça fait
éternité entre tes bras : les hauts et les bas
du dragueur surréaliste. Que tu sois musique
comme dans la poésie, quelque part entrent
les trous du plaisir (c'est heureux, c'est
érectile) la vie animée et les mots
raisonnables, déraisonnés par centaines;
l'amour serait répétition et nous proposerait
les différentes formes de son corps, corps leste,
corps céleste jusqu'à la dernière beauté
qui monte et tombe; la nuit, les rêves sortent
de leurs cachettes, le jour, ils rentrent
avant l'heure, c'est que la nuit les sexes
abandonnent leurs écailles, et le jour ils
se cachent dans leurs plumes. L'amour dort et
ronfle, se réveille et se lève, et quelque part
encore nous mangeons nos angoisses. (Les images
du dragueur s'offrent curieuses et visibles sur tout
le lit, c'est vie éternelle, et des heures et des heures
qui franchissent la porte du cœur pour toujours.)

LE CINÉMATOGRAPHE EN 3 VOLUMES

première suite

HOLLYWOOD TOUJOURS

Hollywood pour nous autres *four color print*
il porte jusqu'au bout ses yeux
son cuir moderne et le rose connu de ses caresses
la peau prend forme, voilà!
Nuits, le champagne, la mer
c'est plus qu'une comédie musicale
c'est le programme des erreurs;
or le grand corps recommence
sexe crayonné, l'écriture comme grand hasard
un maquillage palimpseste
lorsque tu seras revenu ici.

Un seul lit après, pour les victimes de la nuit. Attends que je me noie pour toi. Viendras-tu m'embrasser parce que c'est un film d'horreur? Avec les empreintes sur ma peau, c'est de la science-fiction : Hollywood rime avec toujours.

Quelques références au cinéma, pourquoi pas ? Sous le cuir de ton choix, la grâce prend forme, et je peux, enfin, écrire.

TEMPS DU CINÉMA

Et des corps tranquilles sur le plateau
dans le repos des dialogues

contre la vitesse
le décor huilé de la ville
quand l'image est propice
aux théories de l'été.
Et la tendresse pour nous protéger du soleil
quand l'éternité sonne à midi tapant.

L'air de la prose : les corps couchés comme des lettres, le traité du cinéma, le montage du réel et les trous du désir, à contre-temps. Lorsque j'écris, j'aime la chaleur, c'est-à-dire que la chaleur, la chaleur me suit jusqu'au lit.

PRINTEMPS À L'ÉCRAN

Printemps qui laisse tomber ses billes
je sais votre corps déroulant sa fatigue
et ses drapeaux velus; la neige
retentit encore.

Aigle sur notre épaule ou
tatouage du tigre dans nos yeux
nous attendons la résurrection du Père
à l'affût des catastrophes; chimies
minuscules, le stock des odeurs
déterrées : cinéma muet et stigmates
au sexe comme un secret volé.

Printemps au fond de chaque éternité
fine poussière que je soulève
dans chaque désir roulé dans vos yeux
une ou deux idées neuves trouent
l'écran comme une fin du monde.
Chaque mot recommencé est un animal fini.

LES SAINTS SONT MAQUILLÉS!

Musique remplie de corps;
l'été à la fenêtre se balance
et le rituel de la chaleur, sur l'écran,
offre ses hallucinations maquillées.
Toutes les couleurs se ferment,
c'est-à-dire que le décor exact
guette la proie et l'ombre,
c'est-à-dire nous jette son éternité
bien comptée. Le film d'horreur
est l'histoire de nouveaux saints,
corps célestes toujours possibles.
(Le sang sera pour nous étonnant,
presque tropical.)

LE CORPS INTÉRIEUR DES MONSTRES

Les personnages progressent, ce sont
Dieu infirme, les fantômes
aux amours incomplètes, les monstres
très subtils. (Sur l'écran, sur l'écran,
tout est parfait et présentable,
et dépend de l'interprétation du désir.)
Le corps complet devient une machine
vue de l'intérieur, le secret affecte
sa forme, le rêve décompose
ses ralentis, son haleine, son iode;
corps floconneux qui tricote des images

blanches, qui détache ses énigmes
comme une peau neuve, devient une machine
de philtres et de lumière inattendue.
(Le cinéma, oui, répète toujours la même catastrophe
de notre enfance pliée en deux
sur le lit à minuit.)

LE DRAME DE SHIRLEY TEMPLE

Plan par plan :

1. Soudainement spectateur.
2. Opéra sauvage (ils n'émettent aucun son; le cinéma muet n'est pas silencieux).
3. Le souvenir sans délai.
4. Le paradoxe des personnages : des créatures du ciel.
5. (Le ciel est une figure possible, vision altérée sans explications.)
6. Beverly Hills, l'Atlantide, Paris, une route écrasée contre le décor.
7. La rivière sans repos.
8. Le champ aveugle et blond.
9. Blanche-Neige n'est pas Shirley Temple ni Liza Minnelli (et vice versa).
10. La paresse ou l'accélération du réel.
11. (Réel : le corps enveloppé de bandelettes jusqu'à la mort.)
12. Les ciseaux des jambes.
13. Il est l'heure de regarder.
14. Césure n'est pas censure.
15. «Ta ligne de hanche, ma ligne de chance» (une chanson en deux images).
16. Le spectateur est vu par les yeux du criminel (et Hitchcock, entouré d'oiseaux, avait peur des hauteurs).

trois plans

1

Les personnages à côté du miroir,
le miroir près de l'ombre
et l'ombre collée aux fesses. Masturbations
selon le jour, la qualité de la pluie
et la rose au cul. Les cinq organes
ont des ailes, poils malins (ou
souriants) dans la bouche. La pellicule à la peau des silhouettes.

2

Passe la main sur le grain, passe la
voix sur le drap; l'écran, les écailles;
ouvre les yeux, c'est poils chagrins,
c'est nuit d'amour en vain,
c'est passe ta main aux endroits
étonnants du vivant : la communion
des seins et les sexes qui
vont bien

(ensemble)

3

Dernier plan :
avec l'ombre ancienne, c'est «silence»
c'est «baiser premier et fort»

attention à la musique et attention
dans les coins, elle revient
c'est «deux dans la nuit», deux
désirs pour un seul, c'est «image» dans
«nuit au goût de rose», au dernier plan
la qualité du baiser *(et je te*
caresserai plus tard), disons la qualité
dans le gros plan *(et l'alcool plus tard)*
le baiser avant et les bruits après
ancien silence se détachant
de l'ombre, c'est «son»
la lumière de son amour dans la nuit
nuit avant et jour par-derrière
les lois de son amour plus les devoirs de son regard
c'est «yeux pour deux»
et c'est rien après le plan
rien blanc.

chapitre quatre

A

L'acteur nu, l'écran
ensommeillé, les couleurs qui
bougent sont une curiosité, l'épisode
de sa chair commenté sous les palmiers;
la musique le suit jusqu'à sa chair, la
musique est un paysage qui arrive de
tous les côtés et qui se déshabille.

B[1]

Mais un acteur a changé de peau,
laisse ses peaux sur le lit, lèche ensuite
ses ombres et multiplie ses langues sous les
projecteurs; mais, dans le dialogue gourmand,
il a un goût certain, il est friable sous
le drame en deux couleurs. (On imagine les
scènes grasses, les différents soleils derrière
le plateau, l'écran sous le vent qui dit tout.)

C

L'acteur endormi derrière l'écran
qui s'accélère, et les couleurs qui
changent d'organes à chaque image, sa
nudité avale quelque part des plaisirs
lisses, si lisses (scènes propices à la prolifération des désirs, des
des des papillons qui se posent merveilleusement sur son sexe ou
ses sexes), quelque part l'espace se réveille, mais quelque part son
corps fonctionne sous les ailes du paysage
(paysage exquis : le temps vole).

_____

1. Voir *En image de ça.*

cinquième séquence

(IMAGINAIRE)

... on imagine les figures, les monstres sans ombre, les luisants petits animaux du désir dans la lumière fatiguée; les images renversées tombent sur le ventre, du côté des larmes (on explique l'origine des larmes, les aiguilles dans les larmes, les épingles du cœur); les vêtements défaits s'endorment à la gauche de l'écran. Imagine, et on attend que les mouvements anciens s'accaparent les personnages, qu'ils leur tournent le dos à minuit puisque les plaisirs sont regardés et parce qu'on n'a pas eu le temps de choisir son visage (c'est le témoin qui pleure...

(SYMBOLIQUE)

... transforme la blancheur qui pourrit sur ses roues, les paroles nouées dans le froid qui se tait (ou qui tousse) (le vent pousse le vent jusqu'aux cendres); ne subsiste que la Terre qui tourne pour les étoiles amoureuses, indifféremment. Silence des couleurs qui tombent à mes pieds. Les rêves traversent comme un couteau le dormeur imprévisible que je suis et les désirs poussent de la main les images, lentement jusqu'à l'écran qui brûle près du lit...

(RÉEL)

... regarde cette roue si rapide, cette rue perdue au bout de la musique, la peau nue près des vêtements qui dansent, lentement selon l'âge, c'étaient les années du brouillard, c'était nuit antique (celle qui, cérémonieusement, enlève ses gants après l'amour), c'était le monde assoupi qui a perdu ses clés et son nom. Regarde le parfum qui s'achève dans le souvenir, le déplacement des atomes entre les corps et qui émeuvent, les voix oubliées dans l'œil à l'or ancien, c'était seulement une image, celle qui déroule ses anneaux, qui défait les secondes sous la pluie, qui déplie ses couleurs si lentes (le cinéma ne rêve que de lumière sans rides, que de...

LA NUIT DU CORPS

1

Tu m'as dit de te dire que je t'aime pour que je puisse exister. Ainsi les mots qui remontent de l'enfance totale. Pertes.

Que la tendresse comme un chiffon, que les pleurs à ton nom soient les lumières exactes de tes rêves quand. Lit cru. Bavardages dans la nuit, rythmes gris, mais avant que tu ne retiennes que cela tu avais pressenti ce cri dans mon regard innombrable. Linges de flamme, la voix bleue, déterrée. Mais dans le tremblement furieux des choses, tu m'embrasses pour savoir si nous sommes nés de la même langue.

Quand tout tombe, violent, dans la nuit.

2

Par une voix, toute la distance du désir dans ton dos quand tu dors, je serai inquiet : la douleur pour grandir, tu m'as vu le premier, tu as le premier corps, celui qui a été oublié dans les années de granit. Caverne, ventre.

Tu seras le vertige de tout ce qu'on nous a laissé de vivant, j'écoute les générations dans le froid. Sous la voûte de la nuit, sous le drap de la ville, tout ce qui fait bleu devient déchirure, soie glacée, tu toucheras à la boue du ciel. Vestiges.

L'espace de moi qui s'accroche à ta rétine sera pourtant indéchiffrable. Les mots sont derrière nous.

3

Obscur manifeste de l'oubli, avec cette question du temps qui s'ouvre sur ton ventre, voici les trous de la jouissance. La vérité du cadavre qui s'approche. Tu seras le livre inévitable que je n'ai jamais écrit, et dans le lit la colonne de poussière qui s'enfuit par la ville écrasée de peur.

Lourdeur du corps de rêve, tu avais les mêmes sanglots que celui qui, dans le sommeil, demande sa mère calcinée. Fenêtres mortes, lits aveugles.

On aura peur, après, que son corps soit ruines, mais ce qui persiste à ses bords, le désir, le fleuve du désir, bleu foudroyé.

4

Quand je parle, ton nom dans ma bouche, tu m'émeus jusqu'à le défaire devant toi, la chambre ventriloque. La beauté de ce corps serait la souffrance qu'il ne peut absorber, quand s'épelle, toujours catastrophique, le désir. Dans le dévêtement, la question est de savoir si je m'appelle autrement.

On me demande que tu ne meures pas, l'éternité fait du bruit avec ton corps. Dieu craché.

5

Voici la nuit par laquelle il est demandé que tu reviennes me regarder. Dans les cendres soulevées, dans le feu qui se dévêt, dans la pluie qui se défait, tu t'exerces à aimer. Opéra du rêve : l'énorme savoir de ce que tu ne sais pas. Le sommeil est une manière d'être fidèle.

Scènes premières, domaines nouveaux : le lit et le fleuve au-dessous, le ciel de l'ouïe et, parfois, le vide où, seul, le désir s'articule aux voûtes. Sculptures vivantes.

Corps qui court sans voile ni couteau, seule la nuit le permet.

IMAGES

1

La neige oubliée sur les toits
est une image ancienne, nous voyons
la solidité du bleu, l'heure qui
se précise sur nos mains : l'intérieur
de la matière («Nous nous essayons
douloureusement à l'éternité»).

2

Soleil, froid à côté, les coutures
du monde n'étaient plus
cette traduction de Dieu
au bleu invisible : la lumière
arrive à temps, l'herbe est neuve
et voici partout les couleurs
qui volent nos yeux.

3

Neige debout, le théâtre des oiseaux
et une certaine passion du temps
ici même peuvent devenir
la douleur, l'antique douleur
de notre corps. D'un film muet,
Dieu a oublié Ses images sur les toits.

BELLE MORT

1

Le premier rêve, la véritable histoire
de la catastrophe, c'est cette fenêtre
aveugle, ce silence qui se modifie
car la mort bouge toujours
de la même façon. Mon corps,
mon corps a perdu peu à peu
son nom.

2

Lentement le sommeil comme cette
forêt, lentement ce vert qui se ride
lorsque la nuit se retourne
sur son miroir; le sang s'est ouvert
sous la pluie usée, sa musique
capitale.

3

Entre le sang qui se brise et le silence
oublié sur le lit, la douleur n'arrivait
plus en retard; entre le beau savoir
et la vérité générale (les forêts,
les eaux à toutes les heures), voici
mon corps qui tombe
du dernier ciel.

ACTION WRITING
(7 tableaux de Jackson Pollock)

ALCHEMY, 1947

Le soir déjà nouveau, le soir
qui avance de plus en plus
vivant est ce qui nous touche
déjà dans New York. C'est le métier
du noir : les chimies commencent
après chaque pose, après les conversations
sur la terre qui tremble depuis la nuit
(les animaux ne sont plus raisonnables
et courent comme les fantômes habituels).

NUMBER 13 A : ARABESQUE, 1948

Quand le soleil est encore le soleil, le jour
retrouve les étoiles abandonnées, les lumières
qui reviennent au même endroit en nous.
On dira ici : «Le soleil, c'est fracassé» et
«L'espace, c'est fragile». La couleur revient
d'au-delà d'une forêt inaudible : tout ce qui
descend du ciel est flèche, force, histoire
de la peinture. Tout ce qui rêve en nous
est visible au soleil, dedans et dehors.

SILVER OVER BLACK, WHITE, YELLOW AND RED, 1948

Voici ville, voici New York
jusqu'à la moitié du jour, voici
l'espace sous influence, cela est
animé de l'intérieur des végétaux.
(Faire en sorte que les couleurs
ne soient plus surveillées.) L'après-midi
remonte vers l'ombre, c'est le repos
des couleurs, l'alcool dans la forme
de l'heure, tantôt le blanc, tantôt le noir.

LAVENDER MIST : NUMBER 1, 1950

Le jour qui tourne sur lui-même
est une possibilité, le bruit qui tourne
fait un million d'atomes. On pourrait
dire que la lumière était sensible
en 1950. Couleurs très calmes au centre
de la toupie; le bleu sort tout habillé
des lavandes. La peinture peut être
ce ciel permanent dans le jour
qui fait un bruit d'atome.

AUTUMN RHYTHM : NUMBER 30, 1950

L'automne qui s'est arrêté dans
les couleurs... La petite mort orange
glisse vers le haut et vers le bas,
l'air en est tout gonflé. Il fut un temps
où les objets parlaient. Parfois encore
l'air flotte juste avant l'hiver (la

qualité du brouillard); on entend
alors la douceur dans chaque couleur
qui bouge, souffre, aime et meurt.

BLUES POLES : NUMBER II, 1952

Quand le bleu dort, la main
le suit, ce n'est plus l'orage
ni la guerre, le rêve se rapproche
très rapidement de l'air qui,
soudain, danse dans la musique.
(Quand ta main dort, c'est l'air
qui l'embrasse.) (Quand le rêve
se déplace dans les couleurs,
tu peux parler et tu parles.) (Le bleu
sort par les deux côtés de la musique.)

GREYED RAINBOW, 1953

Lentement, c'est encore le gris qui
se couche contre les autres, contre
la pluie dans sa bonté heureuse.
Les images, on les retrouve, elles s'animent
et redeviennent humaines tout à coup.
Toujours, il y a deux : la mémoire et l'espace;
toujours les couleurs reposent ensemble,
heureuses sous le ciel qui a accumulé le ciel.

LE BONHEUR DU BLEU

1

Bleu toute l'année. Quand
le ciel tombe, tombent les mé-
moires; l'air est seul, des souvenirs flottent dans ta tête; ton
sexe grandit, je ne l'oublie pas.
Dans le centre de ton œil gît un
système de séduction; tu es responsable
de ton intelligence (qui double de
volume par temps chaud); les passions
douces toujours avec les passions difficiles. Encore juillet qui tourne
autour de la lumière ainsi qu'à la gauche
et à la droite de ton corps auquel tu
crois encore – alors que la moitié du
ciel est bleue et que l'autre fait la sieste.

2

(Cette façon qu'ont les écrivains de
s'entourer de mots (le plaisir avec la
peur, le plaisir en longueur et en
largeur, toujours avec l'angoisse). Mots
qui jacassent, se raclent la gorge, mots
c'est juillet qui pivote, survole les
objets avant d'atterrir; mots, tu veux bien
les croire quand tu pleures; mots structures,

ce sont des tortures; mots, c'est la
musique si proche que tu pleurerais.)
Tu te sais responsable de ton
corps mais c'est ton corps qui est
le grand précepteur. Bleu déchiré :
le nom des sentiments comme seuls les
romanciers russes savent l'écrire.

3

Ton âme, comme on dit, je la
vois : matière où passent la mémoire
et le partage des territoires. Voici
les ailes des anges (un ange se promè-
nerait dans ta poitrine et c'est bien
là que je me promènerais) et juillet
quand les chats dorment avec les
chats, quand les ombres apparaissent
pour que tu saches qu'elles ont été
rondes. Quand la pluie se met à
être sage, le bleu se laisse
alors apprivoiser.

4

Les syllabes de tous les noms que
tu aimes : bleu qui nage et fleurs
hurlantes. Encore la musique sous
l'ombre calme qui te salue, sous la
pluie coureuse qui ne s'endort jamais.
Ton bleu, dans juillet, fait un détour.
«Reviens, tu me prêtes la vie pour

que je vive.» La sueur réapparaît sur
tous les parfums, la sueur avec les
parfums qui disent : «Bonjour!» Ces
parfums assis sur ton corps, je les
ramasse et les noue; ils font du
bruit comme seules les fleurs savent le
faire. La structure de l'air tout
à coup. Le bleu bâille et fait le
bonheur (mais bonheur est un
mot que je n'ai pas appris dans
les poésies russes).

5

(Saint-Pétersbourg où rôdent les
ténébreux.) Tu étais peut-être heureux une fois que la bonne tristesse
était venue flotter dans ton ventre ou
sur mes seins; elle allait ensuite se
réfugier dans ton intelligence (qui
double de volume quand je te surprends).
L'étonnement à tes lèvres, l'étonnement
de tes lèvres, tu me l'as rendu avec les
silences des soirs quand je t'écris.
«Roy, écris et creuse! Étreins
et remercie, Roy!»

6

Voici donc les parfums que nous ne
rencontrons pas tous les jours (alors
que nous rencontrons tout le temps

notre corps), voici la sortie des
esprits terribles, ils sont dans tous
les romans russes. (Ô Odessa!) Ce
que j'ai vu sur ta poitrine et sur
ton autre poitrine : le passé toujours
avec l'avenir, les petits calculs
mêlés aux grands organes, le cœur des
autres dissimulé dans le tien. «Écris
et traverse le bleu, crie et cours
aussi vite que le bleu, lis
et n'ignore rien.»

7

Bleu comme des îlots de chaque côté
de ton corps. Des ombres fortes et
rondelettes sur ton épaule droite
et sur ta deuxième épaule. Incessant
juillet, c'est suite vénitienne,
suite slave, la pluie italienne
toujours avec la neige russe (tout
tend à osciller). Penseur quand te
pénétreront les histoires baignées
de larmes (les larmes seraient un
contrat que j'ai passé avec toi)
parce que tu es peut-être malheureux.
(Voir quelques lignes plus haut
surtout s'il fait froid.)

8

Bleu avant et après juillet, je
le revois. «Vois avec ton temps,
qui n'est pas si simple, ni plus ni
moins beau que toi.» La passion des
espèces, de celles qui reviennent de
loin malgré les catastrophes (et
qui deviennent nos interprètes).
Je signe de mon nom pour être honnête, pour enregistrer l'éternel
retour et les terribles souvenirs
qui persistent dans le corps et le
grugent. L'écriture, objet impos-
sible, est l'interprétation des
accidents de la nature.

9

Le bleu déploie ses alcools et les
voix montent des livres déchirés
(les voix arrachées aux livres).
Tous les sons, ils sont énergie, toutes les images, tu les accumules
(parfois, je m'en souviens, tu les
avais cachées sous le lit (les images
roulent souvent sous les lits, les
sens se faufilent sous les draps
pour vérifier si tu t'y trouves)). La
beauté des sons et celle des images
ne sont pas si simples : le souvenir
porte de petites ailes. Ah! le retour

heureux des coïncidences! La façon
qu'a ton corps de tourner comme la
terre bleue lorsqu'elle m'accompagne.

10

Le cœur est bleu, est un déclic.
Toutes ces années dans notre propre
chair! (Notre chair est une supposition
et nous la proposons aux animaux qui
soupirent dans notre intelligence.)
La puissance délicate de te comprendre.
Le cœur est jeune, discourt très bien.
Le plaisir (qui m'offre encore quelque résistance), je le regarde te regarder; c'est juillet que tous les
jours ramènent de Venise ou de Russie.
La pensée est vraie et revient souvent
de loin comme ces espèces qui se
cachent dans nos corps (celui-ci ne
résiste plus très bien en ces années
de plomb). Toutes ces voix gravées
dans nos corps et toutes ces figures
immatriculées dans nos yeux! «Oui,
écoute avec tes yeux. Écoute les
anges dormir dans ta tête – par où
j'entre et sors quand je suis certain
et surpris par la finesse de tes
pensées qui ont de petites ailes
au dos et des bijoux au cou.» La
tristesse nage parfois dans tes yeux
(alors que mes yeux flottent dans
ton ventre). Les images qui tournent
comme ton cœur quand il est

installé près du mien. Cette façon
qu'a la tristesse de se coucher comme
la musique, ni ronde ni sage. «Écris,
écris les poésies de juillet!» La neige
se prend parfois pour un songe, d'autant
plus qu'elle s'est réfugiée dans
mon texte. N'oublie pas le bleu qui
s'agite et fait des gestes généreux
avant de t'envelopper. Bleu-bonheur!

Les textes, revus et corrigés, de la présente édition ont déjà paru dans la revue *Les Herbes rouges* : *N'importe qu'elle page,* n° 11, ill. de Roger Des Roches, février 1973; *N'importe qu'elle page* suivi de *L'Extrait d'elle,* n° 11, ill. de Roger Des Roches, 1er trimestre 1984; *Vers mauve,* n° 28, liminaire de Roger Des Roches, juillet 1975; *D'un corps à l'autre,* n°s 36-37, juillet 1976; *Corps qui suivent,* n° 46, février 1977; *Le Sentiment du lieu,* n° 62, avril 1978; aux Éditions de l'Aurore : *L'Espace de voir,* ill. de Roger Des Roches, coll. «Lecture en vélocipède», 1974; *En image de ça,* préface de Patrick Straram le Bison ravi, encres de Roger Des Roches, coll. «Lecture en vélocipède», 1974; aux Éditions Les Herbes rouges : *Action Writing* (vers et proses, 1973-1984), 1985.

TABLE

1
ACTION WRITING

N'IMPORTE QU'ELLE PAGE

REPRÉSENTATIONS UN

REPRÉSENTATIONS DEUX

D'un corps à l'autre

Comestibles mes emblèmes de ton sexe qu'il reluque

1

2

Quatre d———

Versions du comestible

SECOND CORPUS

Primo tempo

Secondo tempo

Et deux de plus

En quelque sorte painting in action

R

Le sentiment du lieu 2

Le cinématographe en 3 volumes

Première suite

Deuxième partie

Trois plans

Chapitre quatre

Cinquième séquence

La nuit du corps

Images

Collection «ENTHOUSIASME»
titres disponibles

François Charron   *La vie n'a pas de sens* suivi de *La Chambre des miracles* et de *La Fragilité des choses* 1985-1987

Collectif   *Imaginaires surréalistes* 1946-1960
Les Sables du rêve (Thérèse Renaud), *Les Aurores fulminantes* (Suzanne Meloche), *Osmonde, Objets de la nuit* (Jean-Paul Martino), *Poèmes* (Gilles Groulx), *Les Poèmes de la Sommeillante, Éveil de l'œil* (Micheline Sainte-Marie), *La Duègne accroupie* (Michèle Drouin)

Hugues Corriveau   *Du masculin singulier* 1978-1985
Les Compléments directs, Le Grégaire inefficace, Du masculin singulier, Les Taches de naissance, Scènes

Jean-Marc Desgent   *Transfigurations* 1981-1989
Faillite sauvage, Transfigurations, Malgré la mort du monde, Deux amants au revolver, L'État de grâce

Roger Des Roches   *«Tous, corps accessoires...»* 1969-1973
Corps accessoires, L'Enfance d'yeux, Interstice, Autour de Françoise Sagan indélébile, Les Problèmes du cinématographe, Space-opera (sur-exposition)

Le Cœur complet 1974-1982
Reliefs de l'arsenal, La Publicité discrète, Le Corps certain, La Vie de couple, La Promenade du spécialiste, Les Lèvres de n'importe qui, L'Observatoire romanesque, Pourvu que ça ait mon nom, L'Imagination laïque

Jean-Pierre Guay   *Porteur d'os* suivi de *Ô l'homme!* et de *Autres poèmes* 1974-1985

Marcel Labine   *Les Lieux domestiques* 1975-1987
Lisse, L'Appareil, Les Lieux domestiques, Les Allures de ma mort, La Marche de la dictée, Des trous dans l'anecdote, Les Proses graduelles, Les Matières de ce siècle, Le Corrigé, Musiques, dernier mouvement

Éditions Les Herbes rouges
3575, boulevard Saint-Laurent, bureau 304
Montréal (Québec) H2X 2T7
Téléphone : (514) 845-4039
Télécopieur : (514) 845-3629

Document de couverture :
Yvan Dumouchel, *Photo d'André Roy,* 1984

Distribution : Diffusion Dimedia inc.
539, boulevard Lebeau
Saint-Laurent (Québec) H4N 1S2
Téléphone : (514) 336-3941

Diffusion en Europe : Librairie du Québec
30, rue Gay-Lussac
75005 Paris (France)
Téléphone : (01) 43-54-49-02
Télécopieur : (01) 43-54-39-15